KU-472-488

June 2008
Saturday 28
Sunday 29
Mes Courses
Evelyn

EVELIN ILVES

Kingitud maitsed / *Gifts of Taste*

For your inspiration

food photography by

MARKSTEEN ADAMSON

tegi toidupilte

Tekst ja retseptid:	Evelin Ilves
Kujundus:	Dan Mikkin
Toidufotod:	Marksteen Adamson
Fotod:	Evelin Ilves, Mari Kaljuste, Dan Mikkin, Uku Art Mikkin, Toomas Tikenberg
Kaanefoto:	Hindrek „Masa" Maasik
Keeletoimetaja:	Eha Kõrge

Text & recipes:	Evelin Ilves
Art Director:	Dan Mikkin
Photography:	Marksteen Adamson
Additional photography:	Evelin Ilves, Mari Kaljuste, Dan Mikkin, Uku Art Mikkin, Toomas Tikenberg
Cover photo:	Hindrek "Masa" Maasik
Translation:	Juta Ristsoo

ISBN 978-9985-3-2375-5

Tallinn, 2011
Kirjastus Varrak / Published by Varrak
Trükikoda OÜ Greif / Printed by OÜ Greif

Sisujuht | *Contents*

RMA PARK

Tänusõnad / *Acknowledgements*

Inimesed su ümber teevad sinust selle, kes sa tõeliselt oled. Elu põhiväärtus on kootud neist sidemeist ja energialõimedest kangasse, mida me koos lõputult loome. Ilma teie kohalolekuta – just seal ilmakaares, kus te parasjagu olete – poleks see raamat kunagi sündinud. Minu piiritu tänu teile:

It is the people around you that make you who you truly are. These connections and energy threads are woven into a fabric that we unceasingly weave together, and which is the principal value of life. Without you – wherever in the world you happen to be – this book would never have been born. My eternal thanks to you.

Toomas Hendrik Ilves
Kadri Keiu (8), Ludwig (14)
Luukas Kristjan Ilves
Kally Int
Eilike Tõnissoo, Tõnis (8), Mehis (5)
Irene Ilves
Marika Streimann
Priit Maide
Indrek Kivisalu
Imre Sooäär
Erika Kampus
Maimu Sibrits
Marksteen Adamson
Dan Mikkin, Lee (6), Uku Art (11)
Reelika Rahu
Kätlin ja Janek Mäggi, Joonatan (12), Morten (10), Jette Marie (6), Eleius (2)
Anni Arro
Katrin Sangla, Robert (1), Henri (11)
Hindrek „Masa“ Maasik
Inga Paenurm, Darja (9), Polina (8)
Anna-Liis (14)
Kärt Anna Maire Kelder, Tristan (11)
Anne Labrosse
Francois Piege
Kersti Kirs
Jaak Jõerüüt
Fortunato Baldassari
Aysenur Alpaslan
Hayrünnisa Gül
Külli ja Margus Reinsalu
Karli Lambot
Taavi Toom
Anna Komorowska
Tamara Romel
Mailis Neppo
Heli Suvi
Toomas Sildam
Piret Pert
Noel ja Hanora Kilkenny
Sandra Elisabeth Roelofs
Mehriban Alijeva
Leida Lepik
Tony Bernestedt
Annely Akkermann
Veronika Bõstrova Kookmaa
Rain Pikand
Maie Bratka
Arvo Veidenberg
Beatrice Fenice
Pille Põllumäe
Kristel Ehala Aleksejev
Kaire Jürgenson
Arno Sööt
Signe ja Madis Sarik
Viine Jürjestaust
Dea Klimbek

Saatesõna

De gustibus non est disputandum ehk ettepanek maitse üle mitte vaielda on levinud vanadelt roomlastelt kõikidesse Euroopa keeltesse universaalse üleskutsena sallida teistsuguseid inimesi, nende harjumusi, nähtuseid ja asju.

Me näeme ja tunnetame maailma erinevalt. Meie toidulauda ja sealtkaudu maitsemeelt on ühelt poolt kujundanud kultuur ehk tavad, teiselt poolt aga loodus, õigemini selle annid. Nüüdisaegsete maailmakodanikena puutume üha enam kokku uute paikade, keskkondade ja tundmatute maitsetega. Me ise, me meeled, ka maitsemeel saab seeläbi alati rikkamaks. Mitte et lapsepõlve lemmikroogade maitse seetõttu kehvemaks muutuks. Pigem nii, et elu avab meile kogu oma ahvatleva mitmekesisuse ja pakub uusi lemmikuid edasiseks. See kehtib nii kirjanduse, kunsti kui muusika kohta, eriti aga maitse osas, nagu roomlased juba aastatuhandeid tagasi targalt märkida oskasid.

Kõik me vajame eluspüsimiseks toitu, mis algosadeks lammutatuna koosneb toitainetest ehk paarist tosinast aminohappest. Nendeta pole füüsiline elu võimalik. Kultuur, paraku, tähendab aga seda, et pelgast ellujäämisest ei piisa. Oma kujunemisteel sotsiaalseks olendiks käivitas inimene endas peituva loomingulise energia, mille tulemuseks on näiteks muusika, kunst, luule ja sport. Ja otse loomulikult jagus seda kreatiivset vaimujõudu ka kööki ja toidulauale.

Eestlased ja soomlased jagavad ühist ja unikaalset luulevormi, trohheilist tetrameetrit ehk regivärssi. Läänepoolsem muusika tugineb seitsmetoonilisele heliredelile, India helireas on toone 11. Ükski süsteem pole teisest parem, lihtsalt teistsugune. Sama on lugu ka toiduga.

Ja samas kõik muutub. Kartul troonib traditsioonilises eesti köögis niisama tähtsal kohal kui tomat itaalia omas, ometi on mõlemal juhul tegemist importkaubaga, küll juba 500 aastat vana, ent ometi uuendusega. Koduses köögis leiab värskenduskuur aset lausa ühe põlvkonna silme all. Meenub ühe Afganistanis teeniva saksa sõjaväelase vastus küsimusele, millest ta kodunt eemal viibides enim puudust tunneb. „Heast *döner kebab*'ist," kõlas vastus, ehk klassikalisest türgi roast, millest Saksamaal keegi veel poole sajandi eest kuulnudki polnud. Eks näita seegi, kui palju on maailm avanenud ja koos sellega meid muutnud.

Vabadus ja avanenud piirid lasevad ka eestlastel avastada uusi maitseid, muljeid, kirjandust ja muusikat. Ja koos sellega uusi koosolemise viise. Elu võimalusterohkust ja üha kiirenevat tempot arvestades on iga pereliikmete keskel aktiivselt veedetud tund luksuskaup. Näiteks meie peres kannab ühine toiduvalmistamine, uute ja teistsuguste roogade nuputamine kindlasti „kvaliteetaja" kaunist pitserit. Meie sisustame seda aega ühiselt köögis, kui mitte alati, siis nädalavahetustel kindlasti. Ja siis leiab igaüks oma ülesande ja nurgakese söömaaja mõnd osa ette valmistades, olgu siis käsil hommikueine, lõuna- või õhtusöök. Ning mille loogilise jätkuna istume kõik ühiselt lauda.

Selles raamatus ongi kirjas need retseptid, mida oleme oma koduses köögis järele proovinud ning mille eristuv olemus on taganud meile nii elevust kui uusi kogemusi. Võiks isegi öelda, et need retseptid kuuluvad meie lemmikute hulka. Ma ei tea, õigemini ei söanda lubada, kas nende järgi valmistet toit ka teile meeldib. Aga, nagu öeldud, maitse üle ei vaielda.

Foreword

De gustibus non est disputandum or there is no disputing matters of taste is a maxim from Roman times we know in all our own languages in Europe, such is its universality and its understated affirmation of tolerance. Individuals see and experience the world differently. Our tastes are determined by our culture and our climate, what surrounds and nourishes us and by our upbringing. As adults in a modern world, however, we discover new worlds, new ways of tasting, of seeing our surroundings. Not that there was anything wrong with what we encountered as children, but rather that we discover that the world is far richer and more varied than we understood as six- or seven-year-olds.

This is not only true of literature, art and music as the Latin adage is generally applied but also quite literally when it comes to taste.

Humans, like all living beings, need nourishment to live. Living beings, be they plants or animals have certain basic requirements, reducible to two dozen amino acids, without which they die. Culture however, means that survival is not enough. Humans, as they developed as social beings, applied their creative energies to create music, art, poetry and sports. They also applied their creativity to nourishment.

Thus, we Estonians and Finns have our unique form of poetry, *regivärss*, the trochaic tetrameter verse form better known in English as *Kalevala verse*, Western music its heptatonic scale while Indian music divides the scale into 11. So too have we our own tastes in food. Not better than anyone else's, just different.

Nor is taste immutable. The tomato we associate with Italian food and the potato of central and eastern Europe were unknown in the Old World and were imported to our cuisines only in the last half millennium. What we consider home cooking, our national cuisine, can change in less than a generation: I recall reading a German soldier serving in Afghanistan answer the question what he missed most about not being at home: "a good *dönner kebab*", a Turkish food unknown in Germany a mere 50 years ago. When a German soldier in Afghanistan feels *Heimweh* for *dönner kebab*, we see how much the world has changed and opened up.

As our world opens up, as we Estonians again live in liberty and travel wherever we wish, we find new tastes, new ways of experiencing, be it in literature,

in music or nourishment. And new ways to be together. At home, our family has found cooking new and different meals and doing it together our most cherished time. With the ever increasing pace of life that comes with liberty, family time becomes more of a rarity, and hence more of a luxury. Cooking, we have found, is the best way to be actively together, with each of us helping to prepare some part of our dinner, lunch or breakfast, at least on the weekend, when we can all be home and break bread together. The recipes here in this book are recipes we use at home; they provide us with the variety and excitement of new and shared experiences.

The recipes here are the ones we have come to especially like, which may differ, of course, from what you enjoy. It's all a matter of taste.

Saamislugu

Koguda võib tegelikult kõike. Mina kogun elamusi. Ja kui oled piisavalt põhjalik, hakkab see kogu sinuga varem või hiljem maitsetest ja kultuuridest kõnelema. Kuulugu sinu kirg mängukonnadele, postkaartidele või autodele. Sestap ma ei imestanudki, kui kunagisest kirglikust kommipaberikogujast – kes ma kuueselt olin – märkamatult maitsete ja elamuste kollektsionäär sai. Reisidelt toon kaasa pilte, märkmeid ja... ikka alati ka maitseid. Sageli toidu- või maitseainete kujul, aga mida aeg edasi, seda enam ka kohalike kirja pandud retseptidena. Need on sõnumid erakordsetest hetkedest. Need on kingitused, mis iialgi ära ei kulu ega kahane.

Reis ümber maakera mööda maitsete radu on mingi piirini ka koduköögis tehtav. On nii palju vaimustavaid kokaraamatuid. On tuhandeid võimalusi hankida endale ka kõige keerukamate nimedega eksootilisi vürtse. Elu virtuaalses reaalsuses on sõna otseses mõttes maailma meile koju kätte toonud. Niimoodi riigist riiki, kultuurist kultuuri rännates avastame seaduspärasusi, millest koosnevad ja kõnelevad ühe või teise maa maitsed. Igal maal on ikka paar-kolm traditsioonilist ja kohalikku vilja-ürti-vürtsi, mis ka üle maailma levinud toiduainele just tollele kandile iseloomuliku maitsenüansi annab. Võtkem kas või kartul. Kui maitsestad paprika ja rasvaga, mekib nagu Ungaris, paned karrit – on India moodi. Lisad oliiviõli ja sidrunit ning oledki Kreekas. Paned küüslauku ja punet ning hopsti, Itaalias. Hea meresool, taluvõi ja till aga teevad universaalse mugula meile väga armsaks ja koduseks – see on ehtne eesti maitse.

Olen lapsest saadik armastanud süüa teha. Esimesed kümme kokkamisaastat keskkooliajal tegin ma peamiselt kooke. Need jõudsid peaaegu kõigi ema sõbrannade sünnipäevalauale ja ega oma peregi ilma jäänud. Kokad jagunevatki laias laastus kaheks: need, kes teevad nii-öelda pärissööki – köögivilja-, liha-, kalatoite –, ja teised ehk kondiitrid ja pagarid. Mulle on vist too teine geen kaasa antud. Niisiis mässan ma mõnuga aastast aastasse, üritades teha maailma parimat leiba, esialgu musta ja siis ka valget. Viimase puhul on eesmärk veel saavutamata.

Oleme Kadrioru-aastate jooksul palju eestimaiseid maitseid riigipeadele ja teistele kallitele külalistele kaasa pannud. Eks räägi ju kohalik toit tegelikult kõige lihtsamalt, kiiremini ja mõnusamalt sinu maa ilmastikust ja väärtustest, sinu maitsetest ja meeleoludest. Maitse on nagu muusika, see on tõeline kunst, mille pakutud elamus jääb igaveseks alles. Just sellepärast on mul, kallis lugeja, iseäranis hea meel sinuga jagada mulle ja meie perele kingitud maitseid. See on väike kulinaarne reis koos meie ja me sõpradega, saatjaks head elamused, mida pakub armastusega tehtud toit. Võid kindel olla, et kõiki neid toite saab sinu kodus valmistada. Nad on enamasti imelihtsad, aga ka keerukamad olen ma õige mitu korda ise läbi proovinud. Nii mõnigi retsept on pisut täiendatud või veidi muudetud, sest toorained on igal pool natuke omamoodi. Kus vaja, olen pakkunud aseaine.

Kui tahad teha tõesti head ja ka tervislikku toitu, kasuta kvaliteetset toorainet. Ning ära unusta, et ka väikesed asjad on toidukunsti puhul vägagi olulised, tihti tulemust määravad. Nii on mere- ja kivisool toidu sees hoopis mahedamad ja nüansirikkamad kui tavaline keedusool. Värskelt oma veskis jahvatatud pipar lõhnab hoopis teisiti kui tehases tehtu. Ja erinevad roosuhkrud oma pooltoonidega ületavad mäekõrguselt tavalise valge rafineeritud puru maitseomadused. Kuigi kokata saab kõigest ja kõigega. Lõppude lõpuks – kingitud hobuse suhu ei vaadata ja maitse üle ei vaielda. Andugem vahel lihtsalt puhtale naudingule!

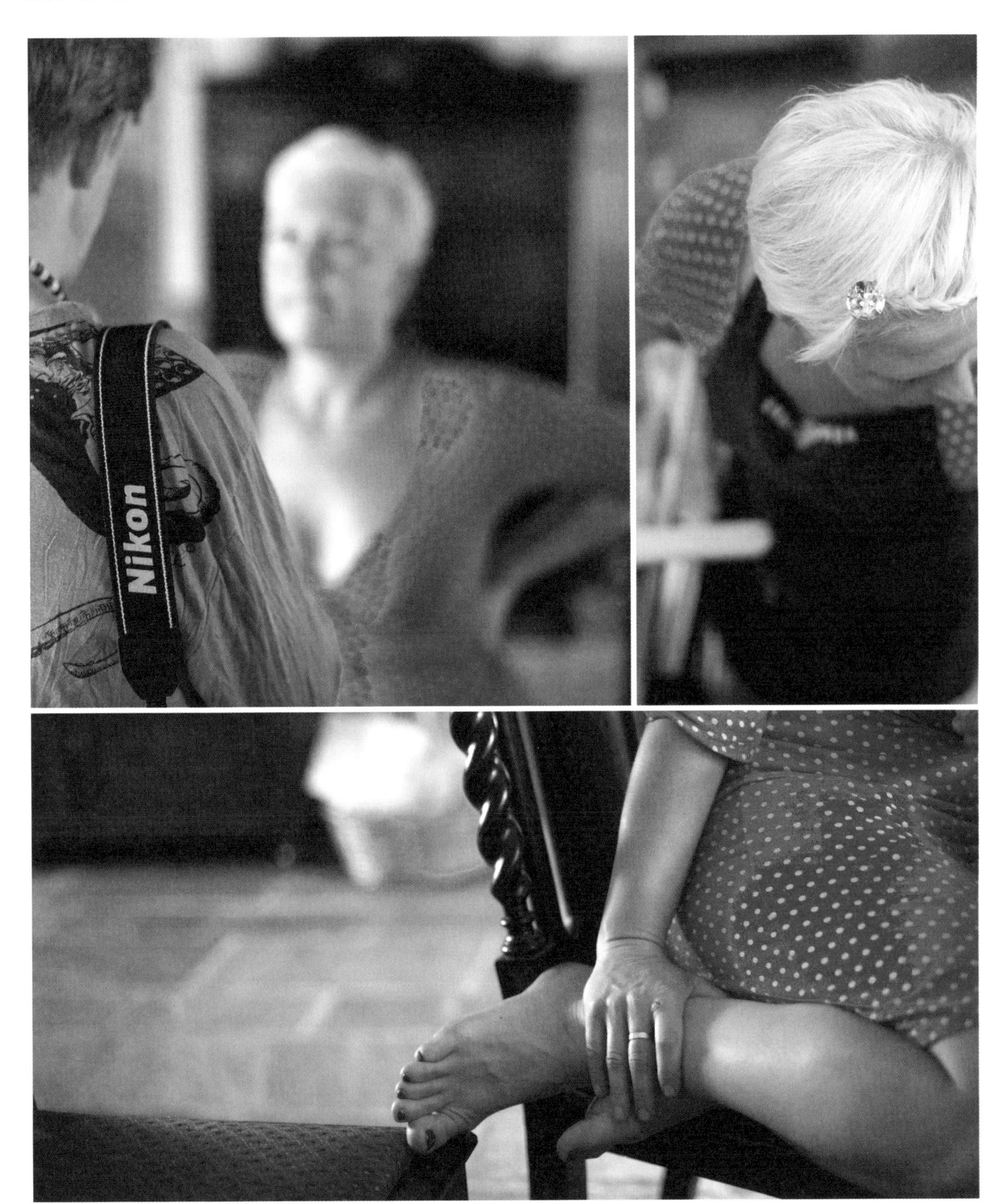
Nikon

Background story

You can actually collect anything. I collect experiences. And if you are sufficiently thorough, sooner or later, your collection will start to speak to you about tastes and cultures – no matter whether your passion is for sports teams, postcards or cars. Therefore, I was not surprised when a former passionate collector of candy wrappers – which I was when I was six – imperceptibly became a collector of tastes and experiences. From my trips I bring back pictures, notes and … always tastes. They are often in the form of foods or seasonings, but as time went on, ever more as written recipes – messages from special moments; gifts that never wear out or diminish in value.

To some extent, you can take a trip around the world along a path of tastes right in your own kitchen. There are many inspiring cookbooks. There are thousands of ways to procure exotic spices with even the most complicated names. Living in a virtual reality literally brings the entire world into our homes. Travelling from country to country, from culture to culture in this way, we can discover the components and messages of a country's tastes. Every country has two or three traditional local vegetables, herbs or spices that add their typical taste nuances to ingredients that are popular around the world – for example, potatoes. When seasoned with paprika and lard, potatoes taste like Hungary; add curry and they remind us of India. Add olive oil and lemon and you are transported to Greece. Add garlic and oregano, and suddenly you are in Italy. Good sea salt, farmers' butter and dill make this universal tuber very dear and familiar – into an authentic Estonian taste.

I have loved to cook since I was a child. During the first ten years that I cooked (while I was in secondary school) I mostly baked cakes. They adorned tables at the birthday celebrations of almost all my mother's friends, and I didn't deprive my own family either. Generally cooks can be divided into two groups: those who make so-called "real food" including vegetable, meat and fish dishes; and the others that are pastry cooks and bakers. I must have inherited this second gene. Thus, I struggled enthusiastically for years trying to make the world's best bread – first black and then white. In the case of the latter, I have yet to achieve my goal.

During my years at Kadriorg, we have sent many visiting heads of state and other dear guests off with Estonian tastes. After all, local food actually speaks most simply, quickly and pleasantly about your country's climate and values, its tastes and states of mind. Tastes are like music; they are true art, which provides an experience that lasts forever. And therefore, dear reader, I am particularly happy to share the tastes that have been given to me and my family as gifts. This is a short culinary trip with us and our friends, accompanied by the good experiences provided by food that has been lovingly prepared. You can be sure that you will be able to prepare all these dishes in your own home. Most of them are extremely simple, but even the more complicated ones have been tested by me several times; thus some of the recipes have been slightly amended or altered, since raw ingredients are slightly different everywhere. If necessary, I also suggest substitutes.

If you want really good and healthy food, use high-quality ingredients. And do not forget that small details can be very important in the culinary arts – they may often be the decisive factor. Thus sea salt and halite can be much milder and subtler that ordinary NaCl. Pepper that is freshly ground in your peppermill has a totally different fragrance than factory-ground pepper. And various rose sugars with their halftones are head and shoulders above the taste provided by ordinary refined sugars. However, one can cook from everything and with everyone. In the end – you shouldn't look a gift horse in the mouth and there's no disputing matters of taste. Sometimes, one should just surrender to pure pleasure!

Ümber Vahemere
Around the Mediterranean

Meie *pere lemmikmaitsete inspiratsiooniallikaks tundub olevat Vahemere piirkond. Alustagem* gourmet' *kroonimata või ka kroonitud kuningast Prantsusmaast. Sealt seilame Itaaliasse, sekeldame Kreeka saartel ja naudime Türgit, vaatame eemalt Liibanoni ja Süüriat, lehvitame Iisraelile, nuhutame Egiptuse turgudelt tulevaid hurmavaid vürtsihõnge ning seilame läbi Gibraltari korraks ka Marokosse, et siis Hispaanias taas Euroopat tervitada. Selline laevareis on nagu unistus, aga köögis pliidi juures teha – imelihtne!*

The *Mediterranean area seems to be the greatest source of our family's favourite tastes. Let's start with France, the uncrowned, or actually, crowned king of the gourmet world. From there, we sail to Italy, bustle about the Greek islands, and enjoy Turkey; we view Lebanon and Syria from afar; wave to Israel; take a whiff of the enchanting fragrances of the spices in Egyptian markets; we also sail through Gibraltar to Morocco for an instant; and then back to Spain to greet Europe again. This boat trip is like a fantasy – but incredibly simple to undertake at your kitchen stove!*

Prantsusmaa

Prantsusmaa on oma 64,7 miljoni elanikuga üks suurimaid Euroopa riike. Ühele ruutkilomeetrile peab keskmiselt mahtuma 101,4 inimest.

Prantslaste suhtumine söömisesse, toitu ja selle valmistamisse on kütkestav – selles on ammustest aegadest pärit austust maa ja päikese vastu, kirge ja hoolimist. Arvukad kokandusmaailma olümpiakullad ehk kolme Michelini tärniga restoranide rohkus sel maal kõneleb meisterlikkusest, parima taotlemisest, raskuste trotsimisest. Aga ka selle peene kunsti juured ulatuvad tegelikult lihtsaimast lihtsasse – tavalisse talupojaköökі. Prantsuse suursaadiku kaasa Anne Labrosse, kirglik kokk ja õpetaja, pühendas Eestis veedetud aastatel paljusid huvilisi oma maa parimate maitsete saladustesse. Tänu Anne'ile ei pelga ma enam ka kõige peenemate kastmete valmistamist proovida, sest tean, et täiuslikkuses peitub alati ka lihtsus. Üks prantsuse köögile iseloomulikke maitsebukette koosnebki koorest, võist, veinist ja puljongist – see on paljude kastmete põhjaks. Aga näiteks kuulsa Provence'i maitse saad, kui proovid mis tahes soolase toidu puhul kombinatsiooni oliiviõli-tüümian-rosmariin-majoraan-salvei. *Bon appétit!*

France

France, with its population of 64.7 million, is one of the largest European countries. An average of 101.4 people has to be accommodated on one square kilometre.

The attitude of the French toward eating, food and its preparation is captivating – it includes respect for the land and the sun, passion and caring that dates back to time immemorial. Numerous Olympic gold medals of the culinary world, or the abundance of Michelin three-star restaurants in this country speaks of mastery, a striving for the best, and defiance of hardships. However, the roots of this fine cuisine actually reach back to the simplest of the simple – to everyday peasant cuisine. Anne Labrosse, who is a passionate cook and teacher, devoted the years she spent in Estonia as the wife of the French ambassador to introducing the secrets of her country's best tastes to many food lovers. Thanks to Anne, I am no longer afraid to attempt the preparation of the finest sauces, because I know that the secret to perfection is always simplicity. A taste bouquet typical of French cuisine consists of cream, butter, wine and bouillon, which form the base for many sauces. However, you can achieve the famous flavour of Provence if you add a combination of olive oil, thyme, rosemary, oregano and sage to any salty dish. *Bon appétit!*

Soupe à l'oignon elik sibulasupp

Umbes 20 aastat tagasi suvel käisin oma esimesel pikemal automatkal. See oli kuum suvi Eestiski, kuid Prantsusmaal näitas kraadiklaas mitu päeva järjest üle 40 pügala. Õhtuti oli võimalik päevast palavust vaid külmas vannis leevendada, sest konditsioneeritud õhuga toa jaoks polnud äsja ülikooli lõpetanuil lihtsalt raha. Aga imekaunite losside ja kindluste poolest üle ilma tuntud Loire'i jõe org kinkis lisaks Chinoni lossist leitud Jeanne d'Arci taaselustatud loole ka prantslaste talupojatoidu – sibulasupi – maitse, mis oma lihtsuses ja rustikaalsuses sööbis alatiseks mällu.

. . .

Ahel'ale

- 250 G SIBULAID
- 2 SPL SULAVÕID
- 1 SPL NISUJAHU
- 1 L PULJONGIT
- MERESOOLA
- VÄRSKET MUSTA PIPART
- 4 VIILU KRÕBEDA KOORIKUGA SAIA
- RIIVITUD TUGEVAMAITSELIST JUUSTU (EMMENTAL, GRUYÈRE, CHEDDAR)

Viiluta sibulad ratasteks ning prae madalal kuumusel võis kuldseks – ära pruunista! Raputa üle jahuga ning sega korralikult läbi. Kalla peale nii palju puljongit, et jääks parajalt paks supp. Hauta kaane all 20–30 minutit. Maitsesta soola ja pipraga.

Serveerimiseks rösti saiaviilud ja pane kausi põhja, supp vala peale. Kui soovid, võid saia ka kuubikuteks lõigata, ent Prantsusmaal olen näinud just tervet saiaviilu supi sisse pandavat. Puista üle riivjuustuga ning serveeri.

☛ Juustu võid panna ka otse saiale ja grillida ning seejärel taldrikusse pista.

☛ Keeda ise puljong – see võtab 30 minutit – koorega sibulast, koorega porgandist ja kartulist, lisades loorberilehe, terapipart, vürtsi ja kui on, siis ürte ning küüslauku. Kui eelistad kuubikuid või pulbrit, siis vali lisaainete vaba kraam.

Soupe à l'oignon or onion soup

I made my first long car trip, in the summer, about 20 years ago. It was even a hot summer in Estonia that year, but in France the thermometer topped 40 degrees for several days in a row. In the evening, one could relieve the heat of the day by taking a cold bath, because, as a recent college graduate, I did not have enough money for an air-conditioned room. However, in addition to the revived story of Jeanne d'Arc, which I discovered at the Castle of Chinon, the world-famous Loire Valley, with its magnificent palaces and castles, gave me another special gift – the taste of French onion soup, a simple and rustic peasant dish, which is imbedded in my memory forever.

. . .

Serves 4

250 G ONIONS
2 TBSP MELTED BUTTER
1 TBSP WHEAT FLOUR
1 LITRE BOUILLON
GROUND SEA SALT
FRESHLY GROUND BLACK PEPPER
4 SLICES OF WHITE BREAD WITH A CRISPY CRUST
GRATED SHARP CHEESE (EMMENTHAL, GRUYÈRE, CHEDDAR)

Slice the onions into rings and fry them in butter over low heat until golden – do not brown! Sprinkle with flour and stir thoroughly. Pour enough bouillon onto the onions to create a proper, thick soup. Cover and simmer for 20–30 minutes. Season with salt and pepper.

Before serving, toast the bread and put a slice in the bottom of each soup dish. Pour the soup over the toast. If you wish, you can cut the bread into cubes, but in France, I always saw whole slices put into the soup. Sprinkle with grated cheese and serve.

☞ You can also put the cheese on the bread and grill it before putting it in the dish.

☞ Make the bouillon yourself – in only 30 minutes – from unpeeled onions, unpeeled carrots and potatoes. Add a bay leaf, peppercorns, seasoning, herbs – if you have them – and garlic. If you prefer bouillon cubes or powder, choose ones without additives.

Tarte flambée alsacienne elik Alsace'i sibula-peekonikook

„Alsace'i külad on jõulude ajal lausa maagilised ja köök on seal ka ju maailma parim," ütles ühel detsembrihommikul mu Strasbourgis elav sõbranna ja pani ette, et külastaksime piiriäärseid väikesi portselanitehaseid. Seal saavat ka tootmise poolele sisse kiigata ning nõusid käsitsi maalivate prouadega mõne sõnagi vahetada. Pärast aga võib nautida lõunat mõnes põldude vahel pärlitena varjuvas iidses külas. Tolle paigakese nimi, kuhu meie pidama jäime, oli Riquewihr. Auto tuli linnakese serva parkida, sest tänavad on sealkandis nii kitsad, et mõistlikum on jalgsi kulgeda – ehtne keskaegne keskkond. Iga endast lugupidav söögikoht pakkus oma kohaliku hõrgutisena aga mulle tookord tundmatut rooga: *tarte flambée*'d. Ja et maailma parim osutub enamasti ka maailma lihtsaimaks, tõestas seekord Riquewihri *chef*, kui temalt tolle soolase koogi saladusi pärisime.

...

Neljale (põhiroana)

TAINAS

- 150 ML VETT
- 2 SPL TAIMEÕLI
- ½ TL MERESOOLA
- ½ TL HELEDAT SUHKRUT
- 250 G NISUJAHU (VÕID PANNA KOLMANDIKU TÄISTERA SPELTAT)
- 15 G VÄRSKET PÄRMI VÕI 1 PAKK KUIVPÄRMI

TÄIDIS

- 200 G SUITSUPEEKONIT
- 3 SIBULAT
- 200 G PAKSU HAPUKOORT
- 200 G MAITSESTAMATA TOORJUUSTU
- MERESOOLA
- VÄRSKET MUSTA PIPART

Hõõru pärm vähese käesooja vee ja suhkruga vedelaks, lisa ülejäänud vesi, sool ja õli. Sõelu hulka jahu ja sõtku sitke tainas umbes 5 minuti jooksul. Kata rätikuga ja jäta sooja kohta kerkima.

Sega toasoe toorjuust käsivispli abil hapukoorega ühtlaseks kreemiks, maitsesta soola ja pipraga. Lõika peekon umbes 3 cm pikkusteks ribadeks. Haki sibul.

Rulli tainas imeõhukeseks, peaaegu läbipaistvaks ja pane küpsetuspaberiga kaetud ahjuplaadile. Määri tainale ühtlaselt ja hoogsalt juustukreem, puista peale peekoniribad ja sibul. Küpseta eelsoojendatud ahjus 180 °C juures umbes 15–20 minutit – kuni tainas muutub krõbedaks ja kuldseks.

Kaunista vastavalt hooajale värske tüümianiga ning võilille või saialille kroonlehtedega. Serveeri värske salatiga. See kook tekitab samasuguse sõltuvuse nagu hea itaalia pitsa!

☛ Võid hapukoort tund aega kohvifiltril nõrutada, saad paksema. Riquewihri *chef*'i käsutuses oli 30% hapukoor.

☛ Väldi dieet-toorjuuste, need lagunevad ja rikuvad toidu. Kasuta värsket ja naturaalset toorainet. Kui meeldib, võid valida maitsestatud toorjuustu.

Tarte flambée alsacienne

Tarte flambée alsacienne

Tarte flambée alsacienne or Alsatian onion and bacon tart

"Alsatian villages are truly magical at Christmas time, and the cuisine there is the world's best," my girlfriend, who lives in Strasbourg, said one December morning, and suggested we visit a small porcelain factory near the border. There, one could peek into the factory and exchange a few words with the women who hand painted the dishes. Afterwards, we could enjoy lunch at an ancient village sheltered, like a pearl, between the fields. The name of the small place where we stopped was Riquewihr. We had to park the car on the edge of the small town, because the streets were so narrow that it was easier to walk – an authentic medieval environment. Every respectable eatery served the local speciality, which was unknown to me at the time – *tarte flambée*. And the fact that the best things in the world are usually the simplest was proven that time by the Riquewihr chef, when we asked him for the secret to this salty delicacy.

. . .

Serves 4
(as a main course)

DOUGH

- 150 ML WATER
- 2 TBSP VEGETABLE OIL
- ½ TSP GROUND SEA SALT
- ½ TSP WHITE SUGAR
- 250 G WHEAT FLOUR (YOU CAN ADD ⅓ WHOLE-GRAIN SPELTA)
- 15 G FRESH YEAST OR 1 PACKAGE OF DRY YEAST

FILLING

- 200 G SMOKED BACON
- 3 ONIONS, CHOPPED
- 200 G THICK SOUR CREAM
- 200 G UNFLAVOURED CREAM CHEESE
- GROUND SEA SALT
- FRESHLY GROUND BLACK PEPPER

For the dough, rub the yeast into a smooth mass with a little lukewarm water and sugar; add the remaining water, salt and oil. Sift in the flour and knead into thick dough. This should take about 5 minutes. Cover with a towel and set aside in a warm place to rise.

Stir the room-temperature cream cheese and the sour cream into a uniform cream using a hand whisk. Season with salt and pepper. Cut the bacon into strips about 3 cm long. Chop the onion.

Roll out the dough until it is very thin, almost transparent. Place on a baking pan that is covered with baking paper. Spread the cream cheese mixture evenly and quickly onto the dough. Sprinkle on the bacon strips and onion. Bake in a preheated over at 180 °C for about 15 to 20 minutes – until the dough is crisp and golden.

Depending on the season, garnish with fresh thyme, dandelion or marigold petals. Serve with a green salad. This tart is just as addictive as good Italian pizza!

☛ You can filter the sour cream for an hour through a coffee filter to thicken it. The chef in Riquewihr used 30% sour cream.

☛ Avoid diet cream cheeses, they crumble and ruin the dish. Use fresh and natural raw ingredients. If you like, choose a flavoured cream cheese.

Crêpes elik pitsilised ülepannikoogid

Minul ei tulnud krepid ilmaski õiged välja. Elastsed, õhukesed ja pitsiliste servadega koogid aga on üks parimaid toite, mida võiks pühapäevasteks perehommikuteks lauale võluda. Anne Labrosse* kergitas saladuskatte oma retseptilt ja mõnelt kasulikult nipilt. Näiteks soovitas ta suus sulava krõbeduse saavutamiseks asendada pool retseptis märgitud piimakogusest apelsinimahlaga.

. . .

Kreeb

650 ML	PIIMA
200 ML	KOORT (10% VÕI 35%)
4	MUNA
2 SPL	HELEDAT SUHKRUT
NÄPUGA	MERESOOLA
250 G	NISUJAHU
2 SPL	SULAVÕID
SOOVI KORRAL	VANILLI, KANEELI, SIDRUNIÕLI

Sega kausis jahu soola ja suhkruga läbi, lisa kolmandik piimast ja munad, sega korralikult (võid lasta ka köögikombainil segada). Lisa ülejäänud piim, koor, sulavõi ja maitseained. Pane vähemalt tunniks külma.

Määri pann võiga ja lase kuumeneda. Tõsta kulbiga tainast pannile ja kalluta ringikujuliselt, et see kataks õhkõhukese kihina terve põhja. Õige pööramisaeg on käes, kui üle terve koogi tulevad väiksed õhumullid – see võtab 1–2 minutit. Hopp! Võid oma hõrgutise pipilikult lakke suunata. Maaläheduse armastajad piirduvad laia pannilabidaga. Lao koogid kuumale taldrikule. Selleks võid taldriku kuuma vee anumale asetada.

Serveeri moosi, vahtrasiirupi, kohupiimakreemi või hoopis toorjuustuga. Mmm!

☛ Tee pannkoogitainas eelmisel õhtul valmis ja pane külma, siis on jahu hommikuks kindlasti ideaalselt paisunud.

☛ Enne küpsetamist võid mis tahes pannkoogitainale lisada tilga Vana Tallinnat või Grand Marnier'd – see võimendab häid aroome ja kõik mõistatavad, miks just sinu pannkoogid eriti hõrgud on.

* *Anne Labrosse on Prantsuse Vabariigi suursaadiku Eestis (2006–2009) Daniel Labrosse'i abikaasa.*

Crêpes or large crisp pancakes

Crepes never turn out right for me. However, these elastic and thin pancakes, with crinkly edges, are one of the best dishes to conjure up for a Sunday family breakfast. Anne Labrosse* revealed the secrets of her recipe and added some helpful hints. For instance, for achieving mouth-watering crispiness, replace half the amount of milk specified in the recipe with apple juice.

...

Serves 6

- 650 ML MILK
- 200 ML CREAM (10% OR 35%)
- 4 EGGS
- 2 TBSP WHITE SUGAR
- PINCH OF GROUND SEA SALT
- 250 G WHEAT FLOUR
- 2 TBSP MELTED BUTTER
- IF YOU WISH, YOU CAN ADD VANILLA, CINNAMON AND LEMON OIL.

Stir the salt and sugar into the flour in a bowl. Add a third of the milk and the eggs. Stir thoroughly (you can also use a food processor). Add the remaining milk, cream, melted butter and seasoning. Set aside, in the refrigerator, for an hour.

Grease the pan with butter and heat it up. Using a ladle put the batter on the pan and tilt the pan with a circular motion to cover the entire bottom of the pan with a paper-thin layer of batter. It is time to flip it when the entire crepe is covered with small air bubbles – this takes 1 or 2 minutes. Hopp! You can send your delicacy toward the ceiling like Pippi Longstockings. But, those who prefer to stay closer to earth can just flip the crepes over with a wide spatula. Stack the crepes on a hot plate, which can be heated by placing it on a pot of hot water.

Serve with jam, maple syrup, creamed cottage cheese or cream cheese. Mmm!

☞ Prepare the pancake batter the night before and put it in a cool place. The flour will have risen perfectly by the morning.

☞ Add a drop of a liqueur, like Grand Marnier or Vana Tallinn to the batter before cooking – this intensifies the good aromas and everyone will understand why your pancakes are especially appetizing.

* *Anne Labrosse is the wife of Daniel Labrosse, who was the French Ambassador to Estonia from 2006 to 2009.*

Gelée de pétales de roses elik roosiželee

Jalutasime kord saadikuproua Anne'iga Ärma talu aias ja jõudsime rooside juurde. Oli päikeseline südasuvine päev ning roosad pinnakatteroosid 'Palmengarten Frankfurt' olid just saavutanud oma ilu täiuse. Igal varrel kiikus kümneid täidisõisi, ning kui silmad vidukile tõmmata ning mõtte uitama lasta, võiksid niisugusel hetkel olla hoopis… Lõuna-Prantsusmaal. Anne noppis ühe õie, nuusutas ja küsis äkki: „Kas sa roosiželeed oled kunagi teinud?" Muidugi mitte! Mulle polnud see pähegi tulnud. Pritsimata roosiõied on söödavad, seda teadsin küll ning kooke olin nendega sageli kaunistanud. „Siis peaksid proovima – praegu on neid õisi nii tohutu palju, et väike harvendamine teeks peenrale ainult head!"

Ja ta kinkiski mulle järjekordse unistama paneva aroomiga mesise hõrgutise retsepti.

…

- 20 LÕHNAVAT ROOSIÕIT (PUNASEST TULEB KAUNEIM VÄRV)
- 1 L VETT
- 1 KG SUHKRUT
- ÜHE SIDRUNI MAHL

Nopi päikeselisel päeval terved roosiõied. Haruta kroonlehe haaval lahti ja lõika teravate kääridega lehe alumine valge osa ära (see on kibe). Loputa õielehed külma vee all ning keeda vees umbes 20 minutit. Vesi läheb punaseks. Lase jahtuda ning pigista seejärel roosiõitest kogu värviline ja lõhnav aines välja. Jäta mõned lehekesed vette – need näevad pärast purgis ilusad välja.

800 g roosimahla kohta võta 1 kg suhkrut. Tarretisesuhkru puhul on vaja keeta umbes 7 minutit, tavalise puhul rohkem. Kõige lõpus lisa värskelt pressitud sidrunimahl.

Seejärel kalla želee kiiresti väikestesse kuumadesse purkidesse ning aseta lauale jahtuma, põhi ülespoole. Keera neid vahepeal ringi, et roosilehed jaotuksid purgis ühtlaselt. Säilita külmas.

Roosiželee on imehea marjade ja puuviljadega, sobib kookidega, aga ka valge kalaga. Naudi!

☛ Kõige parema tulemuse saab spetsiaalse tarretisesuhkruga, mis sisaldab tarretavat ainet. Kui seda pole, sobib ka tavaline suhkur, kuid keeta võiks siis kauem, paksenemiseni. Proovi moosisuhkrut!

☛ Roosiželees võid keeta õunu, saad toreda roosa õunamoosi.

Gelée de pétales de roses

Gelée de pétales de roses

Gelée de pétales de roses or rose petal jelly

We were walking with Anne, the ambassador's wife, in the garden of Ärma Farm when we arrived at the roses. It was a sunny mid-summer day, and the pink Palmengarten Frankfurt roses had just achieved their full beauty. There were dozens of full blossoms on each branch, and if you squinted your eyes, and let your thoughts wander, for a moment, you could actually be in … the South of France. Anne picked a blossom, sniffed it and suddenly asked, "Have you ever made rose jelly?" It had never even occurred to me. I knew that unsprayed rose blossoms were edible and I had often used them to decorate cakes. "Then we should try – there are so many blossoms right now that a little thinning would only be good for the flowerbed!"

Thus, she made me a gift of another recipe for a honey-like delicacy with a dreamy fragrance.

. . .

20	FRAGRANT ROSE BLOSSOMS (RED ONES GIVE THE NICEST COLOUR)
1 LITRE	WATER
1 KG	WHITE SUGAR
FRESHLY SQUEEZED JUICE OF 1 LEMON	

On a sunny day, pick some undamaged rose blossoms. Spread out the petals, and with a sharp pair of scissors, cut off the lower white part (this is bitter). Rinse the petals in cold water and boil in water for about 20 minutes. The water will turn red. Let it cool. Squeeze all the colour and fragrance out of each rose petal. Leave a few petals in the water – they will look nice in the jar afterwards.

You will need 1 kg of sugar for 800 g of rose juice. If you are using special jam sugar, cook about 7 minutes, longer if you are using ordinary sugar. At the end, add the freshly squeezed lemon juice.

Thereafter, quickly pour the jelly into small heated jars and place them, bottom up, on a table. After awhile, turn them right side up, so the rose petals become evenly distributed in the jar. Store in the refrigerator, or in another cold place.

Rose jelly is wonderful with berries and fruit, and with cake. But it can also be served with any white fish. Enjoy!

☛ It is best to use special jam sugar that contains a gelling agent. If it is not available, you can use ordinary sugar, but you will have to cook the jelly longer to get it to thicken. But try jam sugar!

☛ Add some apples when you are cooking the rose jelly. You will get a wonderful pink apple jam.

Mille-feuille elik tuhandekihiline kook elik Napoleoni kook

Kui korraldataks kookide olümpia, seisaks see kook pjedestaalil – ma ei kahtle selles hetkegi. Ent hõrguks teevad selle lihtsaimast lihtsad asjad: päris või, ehtne piim ja koor, veskikivide vahelt tulnud jahu ning süda ja käed. Need kõik on Prantsuse küpsetistes ja kookides alati aukohal. See, et kondiitrid kasutavad väikestes veskites jahvatatud jahu, on tavaline, mitte peen, ning või asendamist margariiniga seal isegi ei arutata. Prantsusmaal teatakse – ei pea sööma palju, ent kui võtad kas või ainult killu, peab see olema parim. Nii head *mille-feuille*'i, kui pakuti Pariisi Place de la Concorde'il asuvas L'Obélisque'i restoranis, polnud ma kunagi saanud. Kulus aega ja läks vaja head prantsuse keele oskust (aitäh meie kultuuriataşeele Kersti Kirsile!), aga lõpuks kinkiski *chef cuisine* Jean-François Piège meile ihaldatud retsepti.

...

Põimele

500 G LEHTTAINAST – JUHUL KUI LEIATE EHTSA VÕIGA TEHTU!

ALTERNATIIV LEHTTAINALE: KRÕBEDAD PÕHJAD

- 5 DL JAHU
- 250 G VÕID
- 200 G HAPUKOORT
- NÄPUOTSAGA SOOLA
- NÄPUOTSAGA SUHKRUT

CRÈME PÂTISSIÈRE ELIK KEEDUKREEM

- 1 L PIIMA
- 40 G VÕID
- 5 VANILLIKAUNA
- 7 MUNAKOLLAST
- 200 G PEENT TUHKSUHKRUT
- 20 G NISUJAHU
- 80 G *POUDRE Á CRÈME* (VÕIB ASENDADA MAISIJAHUGA)
- TILGAKE KONJAKIT

KOKKU 1700 G

IGA 500 G *CRÈME PÂTISSIÈRE*'I KOHTA VÕTA 400–500 G *CRÈME MI-MONTÉE*'D (MEIL: VAHUKOOR 35%).

Taina valmistamiseks pane jahu, suhkur ja sool kaussi, lisa tükeldatud külm või ja hapukoor. Näpi sõrmedega ühtlane tainas ja pane vähemalt tunniks külma. Siis jaga tainas 10 osaks, igaühest tuleb üks kiht. Rulli õhukeseks ja lõika ühesuurused ruudud või ringid. Küpseta iga põhja eraldi 5–6 minutit umbes 220 °C juures. Lõikamisest jäänud ribad küpseta eraldi, neist saab kaunistamiseks puru. Jahuta põhjad. Valmista kreem.

***Crème pâtissière*'i** (CP) jaoks kuumuta suhkruga segatud piim keemiseni, lisa vanillikaunad, võta tulelt, lase jahtudes maitsestuda. Võta vanillikaunad välja, lõika pikuti pooleks, kraabi noaga seemned välja ja pane piima sisse. Sega munakollased nisujahu ja maisijahuga, lisa natuke piima, et segu oleks kallatav, lisa see pidevalt segades piimale. Kuumuta veevannis piima-muna-jahusegu pidevalt segades paksenemiseni ning jahuta. Vahusta või ja lisa kreemimassile (väikeste koguste puhul sega toasoe või lihtsalt kreemimassile). Jahtunud CP sega kokku vahukoorega. Määri kihtide vahele, peale pudista lõikamisest üle jäänud servad. Suvel kaunista kook võilillede, saialillede, kartuliõite, aedkannikeste või roosiõitega, sügisel aga küpsete viljapeade või astelpajumarjadega. Sobib süüa kohe, krõbedalt, ent iga päevaga läheb ta paremaks ja mahlasemaks. Unelmate kook!

☛ Lehttaina tegemine on aeganõudev ja töömahukas, L'Obélisque'i kokad tegid seda oma köögis masinatega. Ent kui on aega ja kannatust, tasub ka käsitsitegu ära.

Mille-feuille

Mille-feuille

Mille-feuille or Napoleon cake

If they ever organise a cake Olympics, this cake will, I have absolutely no doubt, reach the podium. Yet, it is the simplest of simple things that make it so delicious – real butter, milk and cream, and stone-ground flour, as well as your heart and your hands. These things always occupy a place of honour when making French pastries and cakes. The fact that confectioners use flour that has been ground at small mills is not regarded as anything special, and substituting butter with margarine is not even discussed. In France, they know that you don't have to eat a lot, but it must be the best. I've never had a *mille-feuille* like the one that I was served at the L'Obélisque restaurant on the Place de la Concorde in Paris. It took time, and an excellent command of French (thanks to our Cultural Attaché Kersti Kirs!), but finally, *Chef Cuisine* Jean-François Piège gave us the longed-for recipe.

. . .

Serves 10

500 G FLAKY PASTRY – IF YOU CAN FIND ONE MADE WITH REAL BUTTER!
AN ALTERNATIVE TO FLAKY PASTRY IS A CRISP PASTRY CRUST
5 DL FLOUR
250 G BUTTER
200 G SOUR CREAM
A PINCH OF SALT
A PINCH OF SUGAR

CRÈME PÂTISSIÈRE OR CUSTARD
1 LITRE MILK
40 G BUTTER
5 VANILLA BEANS
7 EGG YOLKS
200 G FINE POWDERED SUGAR
20 G WHEAT FLOUR
80 G *POUDRE Á CRÈME* (CUSTARD POWDER, BUT CORN FLOUR MAY BE SUBSTITUTED)
A DROP OF COGNAC
MAKES 1700 G
FOR EVERY 500 G OF *CRÈME PÂTISSIÈRE* TAKE 400–500 G OF *CRÈME MI-MONTÉE* (OR 35% WHIPPING CREAM).

To prepare the dough, put the flour, sugar and salt in a bowl. Add chopped cold butter and sour cream. Form a uniform dough between your fingers and store it in the cold for at least an hour. Then divide the dough into 10 portions; each will become a layer. Roll the dough out very thinly and cut into identical squares or circles. Bake each layer separately, for about 5 or 6 minutes, at about 220 °C. Separately, bake the strips left over from cutting; they can be used later, when decorating the cake. Cool the layers. Prepare the cream.

For the *crème pâtissière*, heat the milk mixed with the sugar, until it starts to boil. Add the vanilla beans and remove from the heat. Let the flavour infuse while it cools. Remove the vanilla beans, cut them open lengthwise, scrape out the seeds and put them in the milk. Combine the wheat flour and corn flour and stir into the egg yolks. Add a little milk, so the mixture is pourable. Add the milk while stirring constantly. Heat the milk-egg-flour mixture in a double boiler while stirring constantly. Then cool. Whip the butter and add to the creamy mass (in case of a small amount, just stir the room-temperature butter with the creamy mass). Mix whipped cream into the cooled mixture. Spread between the layers. Crumble the edges left over from cutting and sprinkle on top. In the summer, decorate the cake with dandelion, marigold, potato, pansy or rose petals. In the autumn, with mature heads of grain or sea-buckthorn berries. Can be eaten right away, when it is crisp, but it gets better and more succulent every day. The cake of your dreams!

☛ Making flaky pastry is time-consuming. The chefs at L'Obélisque used machines. But, worth the effort if you have the time.

Itaalia

Itaalias elab ühel ruutkilomeetril keskmiselt 204 inimest, kokku üle 60 miljoni.

Tundub, et Itaalia köögil on maailmas kõige rohkem austajaid. Nende restorane jagub igasse ilmakaarde, itaalia kokkasid sealsete pliitide taha samuti. Toiduvalmistamine on Itaalias perekondlik traditsioon. Kõige selle taga, otse kära ja kunsti keskel seisab aga maailma parim kokaraamat – vanaema. Sinu söök saab itaalialiku puudutuse, kui maitsestad seda näiteks oliiviõli, küüslaugu ja basiilikuga. *Buon appetito!*

Italy

In Italy an average of 204 people lives on one square kilometre, for a total population of over 60 million.

It seems that Italian cuisine has the most admirers in the world. There are Italian restaurants in every corner of the world; and Italian chefs working at the stoves in these restaurants. Food preparation is a family tradition in Italy. Behind this, in the middle of the clamour and art, stands the world's best cookbook – grandmother. Your food will get an Italian touch if you season it with olive oil, garlic and basil. *Buon appetito!*

Fiori di zucca elik fritidud suvikõrvitsaõied

Kui esimesed oma aia suvikõrvitsad maitstud ning adutud, et neid tuleb veel, kiiresti ja palju, on õige aeg ka õitega maiustada. See kingitud maitse pärineb 1. maist 2011, mil paavst Johannes Paulus II Vatikanis Püha Peetruse väljakule tulnud 1,5 miljoni inimese vahetul osavõtul õndsaks pühitseti. Olla kohal ja olla osaline säärasel missal, mõelda suurele kiriku- ja riigipeale, kelle lihtne sõnum – sa pead julgema! – pani poolakad oma jõud koondama, et lõpuks murda nõukogude okupatsioon. Sõnum, mis innustas teisigi end vabaks võitlema või laulma... mis lõpuks maailma muutis... Kui võimas! Eestlastena seisime seal täis tänu ja tunnustust, tundeid, mis ei tahtnud meisse ära mahtuda... Pärast missa lõppu jalutasime Rooma iidses vanalinnas, kuni jõudsime kohta, kuhu polnud seni sattunud – Rooma juudi kvartalisse. Õhtusöök juudi-rooma stiilis elik nauding köögist nimega *cucina giudicio-romanesca molto traditionale* kinkis täiesti uue elamuse ühe kohaliku toidu kujul, mille maitse harmoonias kõlavad kokku itaalia ja juudi köögi lihtsad saladused: kohalik, hooajaline, värske ja armastusega tehtud.

...

Aleksandra

- 20 SUVIKÕRVITSAÕIT (CA 5–6 CM PIKKUSED)
- 4 VALGE KALA FILEED, À 200 G (KOHA, TURSK, AHVEN JNE)
- PRAADIMISEKS MÕELDUD OLIIVIÕLI VÕI MÕNDA MUUD HEAD TAIMEÕLI
- PAAR PEOTÄIT NISUJAHU
- 2 MUNA
- MERESOOLA
- VÄRSKET MUSTA PIPART

Lõika kalafileed risti *ca* 1 cm laiusteks ribadeks, raputa peale meresoola. Pista kalatükk suvikõrvitsa õie sisse, veereta seda soola ja pipraga segatud jahus ning kergelt lahti klopitud ja soolaga maitsestatud munas. Aja vähemalt 1 cm paksune kiht õli sügaval pannil kuumaks, keera kuumus madalamaks ja friti või prae kalaga täidetud õis mõlemalt poolt kuldpruuniks. Naudi lihtsalt näpu vahelt uskumatult head hõrgutist ja sa ei usu, et miski võib nii maitsev olla!

Fiori di zucca or deep-fried courgette blossoms

Once you have tasted your garden's first courgettes and realised that lots more are coming, and very quickly, it is the right time to start enjoying the blossoms. This tasty gift dates from 1 May 2011, when Pope John Paul II was beatified at St. Peter's Square, in the Vatican, before 1.5 million people. To be present and able to participate in this Mass, to honour this great church leader and head of state, whose simple message – "You must dare!" – helped to inspire the Poles to gather their forces and finally break the Soviet occupation. A message that also inspired others to fight or sing for their freedom… which finally changed the world… How powerful! As Estonians, we stood there full of thanks and respect, feelings that wanted to burst out of us… After the end of the Mass, we walked through Rome's ancient Old Town, until we arrived at a place where we had never been before – Rome's Jewish Quarter. A dinner in the Jewish-Roman style, or a delight from a cuisine called *cucina giudicio-romanesca molto traditionale* provided us with a totally new experience in the form of a local dish that reflects the simple secrets of Italian and Jewish cuisine in its harmony of flavours – local, seasonal, fresh and lovingly prepared.

. . .

Serves 4

- 20 COURGETTE BLOSSOMS (ABOUT 5 TO 6 CM LONG)
- 4 WHITE FISH FILLETS, EACH 200 G (PIKE PERCH, COD, PERCH, ETC.)
- OLIVE OIL OR OTHER HIGH-QUALITY VEGETABLE OIL FOR FRYING
- A FEW HANDFULS OF WHEAT FLOUR
- 2 EGGS
- GROUND SEA SALT
- FRESHLY GROUND BLACK PEPPER

Cut the fish fillets into strips about 1 cm wide. Sprinkle with ground sea salt. Put the fish pieces into the courgette blossoms. Roll them in flour mixed with salt and pepper, and in lightly whipped eggs seasoned with salt. Heat a layer of oil, at least 1 cm deep, in a deep pan. Turn down the heat, and deep-fry or pan-fry the fish-filled blossoms on both sides until golden brown. Just snack on this unbelievably delicious finger food and you won't believe that anything else can be as good!

Pasta con burro e salvia elik salveipasta

Kui Jaak Jõerüüt* oli Eesti suursaadik Itaalias, arutasime kord Ärmal maailma kööke ning ülistasime itaallaste toidu lihtsust ja head maitset. Siis justkui võisteldes, kes teab rohkem ja lihtsamaid retsepte, käis Jaak välja oma trumpässa – salvei ja võiga pasta. Seda polnud meie majas varem proovitud ja sellest sai kiiresti üks meie armastatumaid suviseid kiirtoite. Tõsi, lastele tundub salveipasta maitse alguses liiga omapärane – tahab harjumist, aga täiskasvanud leiavad selle olevat erilise ja meelde jääb see ka kindlasti.

. . .

Neljale

- 400 G PASTAT (NÄITEKS *PENNE*)
- 6 SPL HEAD TALUVÕID
- 12 KUIVATATUD SALVEILEHTE
- MERESOOLA
- VÄRSKET MUSTA PIPART
- TŠILLIT (SOOVI KORRAL)
- KAUNISTUSEKS 5–6 VÄRSKET SALVEILEHTE
- 4 SPL VÄRSKELT RIIVITUD PARMESANI (SOBIB KA ILMA)

Keeda pasta soolaga maitsestatud rohkes vees, nii et krõmpsub hamba all – *al dente*. Sulata madalal kuumusel kastmepannil või, pudista sinna sisse kuivatatud salveilehed ja tšilli. Kuumuta paar minutit. Kalla nõrutatud pastale, sega hästi läbi ja kaunista värske hakitud salveiga ning musta pipraga. Serveeri kohe, raputa peale parmesani, kui see maitseb, aga roog on tore ka ilma juustuta.

☛ Või peab tõesti hea olema. Enamik poes müüdavatest hakkab pannil pritsima ja läheb kõrbema. Õige või sulab tasakesi, ei pritsi ega lähe pruuniks, sest on veest ja muudest lisaainetest täiesti prii. Meil saada olevatest sobivad näiteks Nopri ja E-Piima või. Kasutada võib ka *ghee*'d ehk selitatud võid.

* *Jaak Jõerüüt oli Eesti suursaadik Itaalias 1998–2002.*

Pasta con burro e salvia

Pasta con burro e salvia

Pasta con burro e salvia or pasta with sage

When Jaak Jõerüüt* was the Estonian ambassador to Italy, we once discussed the cuisines of the world at Ärma, and extolled the simplicity and good taste of Italian food. Then, as if competing about who knew more and simpler recipes, Jaak played his trump card – pasta with butter and sage. We had never tried this at our house and it quickly became one of our most beloved summer fast foods. It's true that initially children find the taste of sage strange – it takes getting used to, but adults find it to be special and one definitely does not forget it.

. . .

Serves 4

400 G	PASTA (FOR INSTANCE *PENNE*)
6 TBSP	GOOD FARMER'S BUTTER
12	DRIED SAGE LEAVES
GROUND SEA SALT	
FRESHLY GROUND BLACK PEPPER	
CHILLI (OPTIONAL)	
5 TO 6	SAGE LEAVES AS GARNISH
4 TBSP	FRESHLY GRATED PARMESAN CHEESE (OPTIONAL)

Cook the pasta in ample salted water, so that it is firm when bitten – *al dente*. Melt the butter in a saucepan, at low heat. Sprinkle in the dried sage leaves and chilli and heat for a few minutes. Pour onto the drained pasta. Stir well, and garnish with freshly chopped sage and freshly ground black pepper. Serve immediately. Sprinkle on the Parmesan, if you like, but it's good even without the cheese.

☛ The butter must be really good. Most of the butter sold in stores will start to spatter on the pan and will burn. Real butter melts gently, without spattering or turning brown, because it is totally free of water and other additives. Of the butters that we have available, Nopri and E-Piim butter, for instance, are suitable. You can also use ghee or clarified butter.

* *Jaak Jõerüüt was the Estonian Ambassador to Italy from 1998 to 2002.*

Minestra di fagioli bianchi elik valge oa supp

See on järjekordne itaallaste talupojatoit, mis meeldib kindla peale ka teie lastele ja sõpradele. Sedakorda toitvam ja tummisem ning otse Toscanast. Ma täpselt enam ei mäleta, kellelt selle maitse kingiks sain, ja me vaidleme vahel ikka veel kaasaga supi paksuse üle. Tema arvates peab see peaaegu pudru moodi olema, minu meelest aga natuke „õhem", supilikum. Igatahes peaks ta olema nii paks, et kui kaunistuseks oliiviõlist ringe peale teed, ei tohi nad ära vajuda, vaid ilusasti pinnale jääma.

. . .

Alegiale

- 100 ML *EXTRA-VIRGIN* OLIIVIÕLI
- 3 SPL PEENEKS HAKITUD KÜÜSLAUGUKÜÜSI (6–10 KÜÜNT)
- 2 KL KUIVATATUD VALGEID UBE (*CANNELLINI*, LEOTATUD ÜLE ÖÖ JA NÕRUTATUD) VÕI 6 KL KONSERVEERITUID, NÕRUTATUD
- MERESOOLA
- VÄRSKELT JAHVATATUD MUSTA PIPART
- 250 ML OMATEHTUD LOOMALIHA- VÕI KÖÖGIVILJAPULJONGIT
- 2 SPL HAKITUD PETERSELLI
- SOOVI KORRAL 4 VIILU RÖSTITUD SAIA VÕI SAIAKUUBIKUID

Keeda ehtne puljong*. Kuumuta pannil või paksu põhjaga potis küüslauk pooles koguses oliiviõlis madalal kuumusel helekollaseks, sega sisse puljong ja oad, lase aeglaselt keema ning hauta umbes 5–6 minutit. Võta pool supi kogusest ja püreeri. Saadud puder sega uuesti supi sisse ja keeda veel 5–6 minutit. Enne serveerimist sega ülejäänud oliiviõli supi sisse (jäta natuke ka kaunistuseks) – nii saab maitse ehtsam ja kõik hea jääb alles. Kui tahad serveerida kohaliku kombe järgi, pane igasse supitaldrikusse toekas viil röstitud saia ja kalla see supiga üle. Ilma on samuti hea ja kergem ka. Maitsesta värske musta pipra ja hakitud peterselliga. Lisa imeilusasti, näiteks rõõmsa sõõrina, supitaldrikusse 1–2 tl värsket külmpressitud oliiviõli. Naudi eelroana või mõnusa kerge pearoana.

☛ Kõige sametisem püree tuleb käsiveskit (*food mill*) kasutades, aga väga hästi sobivad ka köögikombaini püreestaja, blender, saumikser.

* *Kui kasutad puljongikuubikuid, hoidu glutamaatidest (E620–625) jms keemilistest lisanditest. Kiire kodune puljong valmib poole tunniga 1 kartuli, porgandi, sibula ja küüslauguküüne ning peotäie ürtide ja/või pipraterade ning loorberilehe abil.*

Minestra di fagioli bianchi or white bean soup

This is another Italian peasant dish, which will certainly appeal to your children and friends – this time more nutritious, thicker and directly from Tuscany. I don't remember exactly who gave me this recipe, and I still argue with my husband about the thickness of this soup. He thinks it should be almost like porridge, but I think it should be thinner, more soup-like. In any case, it must be thick enough that you can garnish it with circles of olive oil. And these must not sink or spread out, but remain nicely on the surface.

. . .

Serves 4

- 100 ML EXTRA-VIRGIN OLIVE OIL
- 3 TBSP FINELY CHOPPED GARLIC (6–10 CLOVES)
- 2 CUPS DRIED WHITE BEANS (*CANNELLINI*, SOAKED OVERNIGHT AND DRAINED) OR 6 CUPS CANNED BEANS, DRAINED
- GROUND SEA SALT
- FRESHLY GROUND BLACK PEPPER
- 250 ML HOMEMADE BEEF OR VEGETABLE BOUILLON
- 2 TBSP CHOPPED PARSLEY
- IF YOU WISH, 4 SLICES OF TOAST OR CROUTONS

Make an authentic bouillon*. Put half the olive oil in a pan or heavy-bottomed pot, and on a low heat, heat the garlic until it is golden yellow. Stir in the bouillon and beans. Heat slowly to a boil and simmer for about 5 to 6 minutes. Puree half the soup. Stir the pureed soup into the remaining soup and cook for another 5 to 6 minutes. Before serving, stir the remaining olive oil into the soup (save a little for garnishing) – in this way the taste is more authentic, and nothing good gets lost. If you want to serve the soup in the traditional manner, put a hefty slice of toast in the bottom of every soup plate and pour the soup over it. But, it is just as good without, and lighter as well. Season with freshly ground black pepper and chopped parsley. Add 1 to 2 tsp of cold-pressed olive oil to the soup plates – be creative, for instance, by making a happy face. Enjoy as an appetizer or a light enjoyable main course.

☛ You will get the most velvety puree if you use a food mill, but you can also use a food processor, blender or hand blender.

* *If you use bouillon cubes, avoid glutamates (E620–625) and other chemical additives. A quick homemade bouillon can be prepared in half an hour using a potato, carrot, onion and garlic, and adding a handful of herbs and/or peppercorns and bay leaves.*

Scaloppine di vitello al limone elik vasika eskalopp sidruniga

Eskalopp pakub toreda võimaluse eri rahvaste maitsetega žongleerimiseks. Kui kasutad sibulat, veiserasva ja paprikat, on roog Ungari moodi; raputad üle kuivatatud tüümiani, rosmariini, majoraani ja salveiga, lõpuks lisad purustatud tomatid ja tulemus meenutab Provence'i. Kui aga praed sama liha saiakuubikute (või saiapuru), jahu ja munaga, on tulemuseks ei miski muu kui ilmakuulus Viini šnitsel. Minu itaaliapärane *scaloppine* pärineb aga ühe Brüsseli kesklinna itaalia restorani koka käest. Tasub katsetada!

. . .

Neljale

- 500 G VASIKAFILEED VÕI ABATÜKKI
- 1 SPL TAIMEÕLI
- 3 SPL HEAD TALUVÕID
- 2 SPL VÄRSKELT PRESSITUD SIDRUNIMAHLA
- 2 SPL VÄRSKET HAKITUD PETERSELLI (VÕI KORIANDRIT)
- JAHU PANEERIMISEKS
- MERESOOLA
- VÄRSKELT JAHVATATUD MUSTA PIPART
- ½ SIDRUNIT IMEÕHUKESTE VIILUDENA

Scaloppine õnnestub ainult siis, kui liha on hea ja õigesti lõigatud. Kui sa ei saa korralikku pikilihaskiuga tükki või fileed, ära parem proovigi. Valesti lõigatud liha tõmbub pannil krussi ja jääb sitke. Õhukesed viilud peavad olema lõigatud täpselt risti lihaskiuga, just nagu saeksid palki – ka tüki ristlõige meenutab puuseibi. Need viilud klopitakse, õieti pressitakse ja venitatakse tundliku käega imeõhukeseks. Nii võib üks viil muunduda panni suuruseks.

Valmista ette kuum taldrik (näiteks pane kuuma vette) ja valmistu keskmisel kuumusel pannil taimeõli ja 2 spl sulavõi sees liha praadima. Selleks kasta liha mõlemalt poolt jahu-soola segusse, raputa liigne jahu maha ja prae kiiresti mõlemalt poolt umbes 30 sekundit. Tõsta kõrvale kuumale taldrikule. Kui kõik tükid on pannil käinud, madalda kuumus minimaalseks, lisa 1 spl võid ning värske sidrunimahl ja hakitud petersell, kuumuta segades paar minutit. Nüüd on uuesti kord liha käes. Kuumuta ükshaaval kõiki tükke mõlemalt poolt pannil, et nad saaksid ilusti kastmega kokku ja uuesti soojaks. Serveeri kohe koos uduõhukeste sidruniviiludega eelsoojendatud taldrikutel. Kõrvale sobivad grillitud köögiviljad. Lihtsalt sulab suus!

☛ Kui sa peterselli ei armasta, ära pane seda kastmesse. Kaunista valmisroog hoopis värske koriandriga!

☛ Sidrunimahla asemel võid kasutada hoopis kuiva valget šerrit või Marsalat, saad teistmoodi, aga ikkagi itaalialiku maitse. Kuid see on juba taas uus roog!

Scaloppine di vitello al limone or veal escallop with lemon

Escallops provide a wonderful opportunity for juggling the tastes of various nationalities. If we use onion, lard and paprika, the dish has a Hungarian flavour; if we sprinkle on dried thyme, rosemary, oregano and sage, and finally add crushed tomatoes, the result reminds us of Provence. However, fry the same meat after dipping it in bread crumbs, flour and egg, and you will have world-famous *Wiener schnitzel*. However, my Italian-style *scaloppine* originates from a chef at an Italian restaurant in the centre of Brussels. Give it a try!

. . .

Serves 4

500 G	VEAL FILLETS OR SHOULDER CUTS
1 TBSP	VEGETABLE OIL
3 TBSP	FARMER'S BUTTER
2 TBSP	FRESHLY SQUEEZED LEMON JUICE
2 TBSP	FRESHLY CHOPPED PARSLEY (OR CORIANDER)
FLOUR FOR DREDGING	
GROUND SEA SALT	
FRESHLY GROUND BLACK PEPPER	
½	LEMON, SLICED VERY THINLY

Your *scaloppine* will only succeed if the meat is excellent and properly cut. If you cannot get a properly cut piece or a fillet, don't even try to prepare this dish. Improperly cut meat will buckle in the pan and be tough. The thin slices must be cut against the muscle fibres, as if sawing a log – the cross-section of the meat will resemble a wooden disk. These slices are beaten – actually pressed and stretched – by sensitive hands until they are paper thin. Thus, one slice can become quite large in the pan.

Prepare a hot plate (for instance, put it in hot water) and get ready to pan-fry the meat in vegetable oil and 2 tbsp of melted butter, over medium heat. First dip both sides of the meat in a mixture of flour and salt; shake off the excess flour, and fry quickly for about 30 seconds. Lift it onto the hot plate. When you have fried all the fillets, turn the heat down to a minimum, add 1 tbsp of butter, the fresh lemon juice and chopped parsley, and heat this mixture for a few minutes, constantly stirring it. Now, it is the meat's turn again. Heat both sides of the fillets in the pan, one at a time, so you get a nice sauce, and the fillets are thoroughly reheated. Serve with very thin lemon slices on pre-warmed plates. Serve grilled vegetables on the side. Just melts in your mouth!

☞ If you don't like parsley, do not add it to the sauce. Garnish the dish with fresh coriander instead!

☞ Instead of lemon juice, you can use dry white sherry or Marsala. This will give you a different, but still Italian-style, taste. Although, this is actually another new dish!

Tiramisu

on itaallaste tuntumaid hõrgutisi. Seda valmistatakse kümnel erineval moel pokaalimagustoidust hiigeltortideni. Kookide olümpial pakuks ta kõva konkurentsi nii prantslaste *mille-feuille*'ile kui ka venelaste Pavlovale. Sestap olin õnnelik, et sain meie Itaalia töövisiidi ajal 2009. aasta suvel peaaegu et osaleda Rooma kuulsa *chef*'i Fortunato Baldassarri tiramisu-teol. Peamine on see, et asja tuleb võtta loominguliselt ja vabalt, õige tiramisu ei näegi perfektne ja sile välja, kook võib olla voogav ja vajuv, just nii pääseb maitse õitsema.

. . .

Kaheteistkümnele

350 G SAVOIARDI KÜPSISEID (*LADYFINGERS*)

KREEM

500 G *MASCARPONE* JUUSTU
250 G VAHUKOORT (VAHUSTATUD)
500 G KEEDUKREEMI
250 G TUHKSUHKRUT
75 ML MARSALAT (KUIVA VALGE ŠERRI SARNANE KANGESTATUD VEIN)

KEEDUKREEM

350 ML PIIMA
15 G VÕID
VANILLI
3 MUNAKOLLAST
70 G TUHKSUHKRUT
2 TL NISUJAHU
2 TL MAISIJAHU
(VALMISTAMIST VT NAPOLEONI KOOGI JUUREST LK 36)

IMMUTAMISEKS

100 ML VÄRSKET JAHTUNUD ESPRESSO KOHVI VÄHESE SUHKRUGA
30 ML AMARETTO LIKÖÖRI

PEALERAPUTAMISEKS

100 G TUMEDAT RIIVITUD ŠOKOLAADI VÕI TUMEDAT NATURAALSET KAKAOPULBRIT

Sega käsitsi kokku toatemperatuuril *mascarpone*, vahukoor, tuhksuhkur ja jahutatud keedukreem koos Marsalaga (viimase võid ära jätta).

Kasta küpsised kiiresti kohvisse (lähevad katki!) ja lao vormi põhja üks kiht. Kata kreemiga. Lao teine kiht immutatud küpsiseid ja kata kreemiga. Peale raputa tumedat naturaalset kakaod või tumedat riivitud šokolaadi. Lase tunnike imbuda. Imeline!

Tiramisu

3. Cover with a lay-
4. Place a second layer of coffee-dipped
creamy mixture.
5. Cover with a second layer of creamy mixture.
6. Sift cocoa powder on top.

*** Be careful when dipping the biscuits into the coffee.
This must be done quickly or the bisuits will fall apart,
...ickly that they remain too dry.

Tiramisu

Tiramisu

Tiramisu is the Italians' most famous delicacy. It is prepared in dozens of different ways – from individual desserts in goblets to giant cakes. At a cake Olympics, it would provide stiff competition for the French *mille feuille*, as well as the Russian Pavlova. Therefore, I am happy, that during our working visit to Italy in the summer of 2009, I was able to participate in the tiramisu-happening organised by the famous Roman chef, Fortunato Baldassarri. The main thing is to have a natural and casual attitude. A real tiramisu is not perfect and smooth; it can undulate and sink a bit -- this is how the flavour blossoms.

. . .

Hand mix the room-temperature *mascarpone*, whipped cream, powdered sugar and cooled custard with Marsala (if you wish, omit the latter).

Dip the ladyfingers in the coffee (they will crumble!) and line the bottom of the pan with a layer of ladyfingers. Cover with cream. Add another layer of soaked ladyfingers and cover with cream. Sprinkle with dark natural powdered cocoa or grated dark chocolate. Let it set for an hour. Marvellous!

Serves 12

350 G SAVOIARD COOKIES OR LADYFINGERS

CREAM

500 G *MASCARPONE* CHEESE
250 G WHIPPING CREAM (WHIPPED)
500 G CUSTARD
250 G POWDERED SUGAR
75 ML MARSALA (FORTIFIED WINE LIKE DRY WHITE SHERRY)

CUSTARD

350 ML MILK
15 G BUTTER
VANILLA
3 EGG YOLKS
70 G POWDERED SUGAR
2 TSP WHEAT FLOUR
2 TSP CORN FLOUR
(FOR THE RECIPE SEE NAPOLEON CAKE PG. 39)

FOR SOAKING

100 ML FRESH COOLED ESPRESSO WITH A LITTLE SUGAR
30 ML AMARETTO LIQUEUR

FOR SPRINKLING

100 G GRATED DARK CHOCOLATE OR DARK NATURAL POWDERED COCOA

A LABOUR OF LOVE

Kreeka

Kreekas elab 86 inimest ühel ruutkilomeetril, kokku 11,3 miljonit.

Parim tuttavaks saamise viis on külaskäik. Siis võib ka juhtuda, et armutakse või leitakse hoopis sõber. Meiega juhtus nii üks kui ka teine. Nüüd oleme 15 aasta jooksul pea igal suvel Kreekas käinud, see sai alguse Georgios Papandreou* ametlikust kutsest tollasele Eesti välisministrile, millest on kasvanud soe sõprus. Kreeka on rabanud antiikkultuuri rohkusega, väikesaarte puutumatusega, kirglike kurblike lauludega, hiiglasuure ja kollase kuuga ning muidugi toiduga. Kreeklaste oskus kaladega ümber käia on muljet avaldav ja nende lahkus külaliste vastu on ületamatu. Kui me ühel järjekordsel reisil kesköö paiku – 5 minutit enne sulgemist – ühte külataverni sisse astusime, ei kergitanud keegi kulmugi. Nüüd ma enam ei imesta, kuidas me tookord sujuvalt kella kolme paiku öösel kogu köögimeeskonnaga veel ühispilti tegema asusime ja siis, *chef*'i soe kalli kaasas, oma hotelli poole vantsisime. See ongi ehtne Kreeka, hoomamatu ja kirglik. Oma toidule saad kreekaliku puudutuse, kui kasutad oliiviõli, sidrunit ja punet.

Greece

In Greece an average of 86 people lives on one square kilometre, for a total population of 11.3 million.

The best way to become acquainted with someone is to pay them a visit – one can fall in love, or find a new friend. We've experienced both. We have visited Greece almost every summer, for 15 years. This all started from Georgios Papandreou's** official invitation to the then Estonian foreign minister, which has grown into a warm friendship. Greece has smitten us with the abundance of its ancient culture, its small untouched islands, its passionately sad songs, its giant yellow moon and, of course, the food. Their skill at preparing fish is impressive, and their hospitality equally impressive. When, on one of our regular trips, we stepped into a village tavern around midnight – five minutes before closing – no one raised an eyebrow. Now, we are no longer amazed how, at three in the morning, we proceeded to take a group picture with the entire kitchen staff and, thereafter, were sent off with a warm hug by the chef and trudged off to our hotel. This is the real Greece – unpretentious and passionate. You can give your food a Greek flavour by using olive oil, lemons and oregano.

---

* *Georgios A. Papandreou on Kreeka peaminister alates 2009. aastast.*

** *Georgios A. Papandreou has been the Prime Minister of Greece since 2009.*

Melizano salat *à la* O Koztakne

Vahemere piirkonnas on vist igal maanurgal, võib-olla lausa igal külal oma versioon grillitud baklažaanidest. Küll tehakse sellest vormiroogasid, küll salateid, dipikastmeid jms. Skiathose saarel – see on üks sadadest rannikulähedastest väikesaartest – sattusime ikka ja jälle imemaitsva toidu peale. Iga kord veidike erinev, kuid see näis tõepoolest kohalik hõrgutis olevat. Ühel hetkel ei pidanud me enam vastu ja palusime kokalt õpetussõnu. O Koztakne taverni kokk oli ehtkreekalikult lahke mees ja kribis retsepti otse arve tagaküljele.

. . .

Kuule

4 KESKMIST BAKLAŽAANI
2–4 KÜÜSLAUGUKÜÜNT, PURUSTATUD
4–6 SPL KÜLMPRESSITUD OLIIVIÕLI
1 SPL PALSAMIÄÄDIKAT
200 G VALGET FETA JUUSTU
1 SIDRUNI MAHL
SOOVI KORRAL VÄRSKET PETERSELLI VÕI KORIANDRIT
VÄRSKET MUSTA PIPART

Pese baklažaanid ja torgi kahvliga koor üleni auguliseks. Grilli 200 °C juures umbes tund aega, jahuta ja kraabi kogu sisu kaussi. Koored viska ära. Pressi küüslauk samasse kaussi, pudista feta peeneks, lisa oliiviõli (jäta kaunistuseks ka mõni piisk!) ja palsamiäädikas koos sidrunimahlaga. Sega hoolega läbi, võid kasutada ka blenderit või saumikserit, ent ära lase päris püreeks – on tore, kui salatis on valged fetatükid ja ka baklažaan on tunda oma ehtsas olekus.

Kui meeldib, sega juurde värsked ürdid, kaunista maitserohelise ja mõne tilga oliiviõli ning musta pipraga. Naudi saia peal või söö kohe lusikaga!

☛ Kui pelgad küüslaugu maitset ja lõhna, kuumuta seda madalal kuumusel mõni minut oliiviõlis.

Melizano salad *à la* O Koztakne

In the Mediterranean region, every corner of the country, maybe even every village, has its own version of grilled aubergine. It is made into casseroles, salads, dips, etc. On the island of Skiathos – this is one of the hundreds of small islands off the coast of Greece – we came across a delicious dish again and again. Always a bit different, but it seemed to be a local speciality. Finally, we could resist no longer, and we asked the cook for instructions. The chef at the O Koztakne Tavern was a typically polite Greek man who scribbled the recipe right on the back of our receipt.

. . .

Serves 6

- 4 MEDIUM AUBERGINES
- 2–4 CLOVES OF GARLIC, CRUSHED
- 4–6 TBSP COLD-PRESSED OLIVE OIL
- 1 TBSP BALSAMIC WINE VINEGAR
- 200G WHITE FETA CHEESE
- THE FRESHLY SQUEEZED JUICE OF 1 LEMON
- IF YOU WISH, FRESH PARSLEY OR CORIANDER
- FRESHLY GROUND BLACK PEPPER

Wash the aubergine and prick holes all over its skin. Grill at 200 °C for about an hour; cool and scoop the insides into a bowl. Throw away the skins. Press the garlic into the same bowl. Crumble the feta into fine pieces. Add the olive oil (leave a few drops for garnishing!), as well as the balsamic vinegar and the lemon juice. Stir thoroughly, or use a blender or hand blender, but don't puree it. The salad is wonderful if you leave small chunks of the feta cheese, and you can discern the real texture of the aubergine.

If you like, add fresh herbs. Garnish with herbs, a few drops of olive oil and black pepper. Enjoy it on a slice of bread, or eat it with a spoon!

☛ If you don't like the taste and smell of garlic, heat it at a low heat in olive oil for a few minutes.

Soolas küpsetatud valge kala gremolata kastmega

Esimest korda sain soolas küpsetatud kala Kreekas Porose saarel. Pärast seda kogemust märkasin, et tegelikult on paljude maade restoranides selline kala küpsetamisviis au sees, aga kui poleks ise näinud ja proovinud, oleks vist ilmatu hulk aega kulunud, enne kui sellist asja süüa söandanuks. Ikkagi mitu kilo ehedat soola ja kala selle sees ei muutugi kibesoolaseks! Tõepoolest, kala võtab soola sisse täpselt nii palju, et oleks paras, selgitas ükskord Kadrioru restorani kokk, kui temalt uurisin. Ja avas siis lahkelt paari minutiga tõelise meistriteosena näiva toidu valmistamise saladuse. Soolast tekib iseäralik koopakeskkond, mis küpsetamisel annab mis tahes kalale erilise kergelt suitsuse maitse ja ilusa kuldse tooni. Siin ta on: Kreeka-Kadrioru kalahõrgutis.

. . .

Kahele

- 1 TERVE VALGE KALA (KOHA, KULDMERIKOGER, HAUG, 700 G – 1 KG)
- 2 KG JÄMEDAT MERESOOLA
- 2 SPL VALGET VEINI
- 1 MUNAVALGE
- PEOTÄIS ÜRTE (ROSMARIINI, KORIANDRIT, TÜÜMIANI VMS)
- PAAR SIDRUNIVIILU

GREMOLATA KASTME JAOKS SEGA KOKKU:

- 3 SPL PEENEKS HAKITUD SILEDAT PETERSELLI (VÕI KORIANDRIT)
- 1 SUUR KÜÜSLAUGUKÜÜS, PRESSITUD
- 1 TL RIIVITUD SIDRUNIKOORT
- MERESOOLA, VÄRSKET MUSTA PIPART
- 4 SPL KÜLMPRESSITUD OLIIVIÕLI
- 1 TL VÄRSKET SIDRUNIMAHLA

Võta kalal sisikond välja ja puhasta köögipaberiga (jäta soomused selga, pea ja saba alles!). Topi kõhtu sidruniviilud ja peotäis ürte. Sega kausis kätega sool valge veini ja munavalgega läbi, saad niiske ja lõhnava segu.

Pane ahjuplaadile poole sentimeetri paksune kiht soolasegu, aseta sellele kala ja kata üleni paksult soolaga. Patsuta kinni, nii et ninanupsigi näha ei jää. Küpseta eelsoojendatud ahjus 230 °C juures 10 minutit, siis tekib tugev soolakoorik; seejärel küpseta veel 20-40 minutit (sõltuvalt kala suurusest) 175 °C juures. Serveerimiseks lõika raske noaga (või vajuta pudrunuiaga) soolakoorik katki, puhasta fileed välja ja serveeri grillitud köögiviljade või värske salatiga. Kalalihale pane lusikatäis gremolatat. Seda rooga nautides tunned sõõrmeis Vahemere hõngu…

☛ Võid soola sees küpsetada ka tervet forelli, lõhet või tuura. Tulemus saab ikka enneolematult hea ja eriline.

Soolas küpsetatud valge kala

White fish cooked in salt

White fish cooked in salt, with gremolata sauce

I was served fish cooked in salt, for the first time, in Greece, on the island of Poros. After that experience, I noticed that many of the world's restaurants cook fish in this way. However, if I had not seen and tried it myself, it would have probably taken quite some time before I would have ventured to eat it – a fish buried in several kilos of salt, doesn't it become bitterly salty? Actually, the fish absorbs just as much salt as is needed, the chef at a Kadriorg restaurant once explained to me, when I asked. And, in a few minutes, he graciously revealed the secret for preparing a dish that seemed to be a genuine masterpiece. The salt creates a peculiar cave environment, which gives any fish a slightly smoky taste and a beautiful golden colour while baking. Here it is – a Greek-Kadriorg fish delicacy.

. . .

Serves 2

- 1 WHOLE WHITE FISH (PIKE PERCH, GILT-HEAD BREAM, PIKE, 700 G TO 1 KG)
- 2 KG COARSE SEA SALT
- 2 TBSP WHITE WINE
- 1 EGG WHITE
- HANDFUL OF HERBS (ROSEMARY, CORIANDER, THYME, ETC.)
- A FEW LEMON SLICES

FOR THE GREMOLATA SAUCE, MIX THE FOLLOWING INGREDIENTS:

- 3 TBSP FINELY CHOPPED SMOOTH PARSLEY (OR CORIANDER)
- 1 LARGE CLOVE OF GARLIC, PRESSED
- 1 TSP LEMON ZEST
- GROUND SEA SALT, FRESHLY GROUND BLACK PEPPER
- 4 TBSP COLD-PRESSED OLIVE OIL
- 1 TSP FRESHLY SQUEEZED LEMON JUICE

Gut the fish and wipe clean with paper towelling (but, don't remove the scales, or the head and tail!). Stuff the lemon slices and handful of herbs into the stomach of the fish. In a bowl, mix the coarse sea salt, white wine and egg white by hand, which will give you a moist and fragrant mixture.

Put a half-centimetre thick layer of this moist sea salt mixture on the bottom of a roasting pan. Place the fish in the sea salt mixture, and cover completely with a thick coating of the same mixture. Pat this down evenly, so that even the end of the fish's nose is covered. Bake in a preheated oven at 230 °C, for 10 minutes, in which time, a strong salt crust will develop; thereafter, bake for another 20 to 40 minutes (depending on the size of the fish), at 175 °C. To serve, cut the salt crust with a heavy knife (or crush it with a potato masher). Remove the fillets of the fish, and serve with grilled vegetables or a fresh salad. Put a spoonful of gremolata on the fish fillet. As you enjoy this dish, you will detect the scent of the Mediterranean in your nostrils….

☞ You can also bake an entire trout, salmon or sturgeon in salt. The result will, again, be uniquely special and delicious.

Kaheksajalg valges veinis

See oli kümmekond aastat tagasi, kui varahommikul väiksel Symi saarel oma jooksutiiru tehes sattusin iseäralikule vaatepildile: kaluripere hommikust saaki puhastamas. Nood pesunööril rippuvad hiigelsuured kaheksajalad ei kao mu mälust iialgi. Mõjudes ühtaegu nii maaliliselt kui ka eemaletõukavalt, maitsevad nad sellest hetkest saadik kuidagi teisiti. Uurisin tookord ka ühelt kohalikult kokalt nendest maitsvate roogade keetmise saladusi ning ega neid palju olnudki. Kaheksajalg peab olema korralikult puhastatud, et tema mõru must neste toidu sisse ei satuks. Ning ta vajab hea tekstuuri saavutamiseks õrna hapet: valget või punast veini ning sidrunit.

. . .

- 500 G KÜLMUTATUD VÕI VÄRSKEID BEEBIKAHEKSAJALGU
- 350 ML VALGET VEINI
- 5–6 VÄRSKET KÜÜSLAUGUKÜÜNT
- 300 G KOORITUD KONSERVTOMATEID VÕI 3–4 VÄRSKET KÜPSET TOMATIT
- 2 SPL KÜLMPRESSITUD OLIIVIÕLI
- 2–3 VIILU SIDRUNIT
- MERESOOLA
- NÄPUTÄIS HELEDAT SUHKRUT (SÕLTUVALT VEINI MAGUSUSEST)
- VÄRSKET MUSTA PIPART
- 2 TL KUIVATATUD PUNET
- VÄRSKET KORIANDRIT (SOOVI KORRAL)

Pane kaheksajalad veini sisse tasasele tulele podisema. Kaant ära peale pane! Koori küüslauguküüned ja vajuta lõikelaual noa seljaga laiaks, nii muutuvad nad mahlakamaks. Seejärel haki nad jämedalt ning lisa potti kaheksajalgade juurde. Lase haududa 30 minutit, seejärel tükelda tomatid (kui teed blenderis, ära päris püreeks lase – tükid sobivad sellesse rooga) ja lisa potti koos punega. Maitsesta soola ning pipraga ja lase veel 5–7 minutit haududa. Lõpuks lisa sidruniviilud, puista üle värske hakitud koriandriga ning serveeri kerge lõuna- või õhtueinena. Kõrvale sobivad grillitud köögiviljad või lihtsalt viil (oliivi)saia.

Octopus in white wine

It was about ten years ago, when taking my early morning run around the small island of Symi that I happened upon an unusual sight – a fisherman's family cleaning the morning catch. I will never forget those giant octopuses hanging on a laundry line. Simultaneously, causing a picturesque and repellent feeling, they have never tasted the same from that moment on. At the time, I asked a local chef for the secret to preparing delicious dishes from them, but there weren't many. An octopus must be properly cleaned, so that its bitter black ink does not get into the dish. And, it requires delicate acids to achieve a good texture – white or red wine and lemon.

. . .

Serves 4

- 500 G OF FROZEN OR FRESH BABY OCTOPUS
- 350 ML WHITE WINE
- 5–6 FRESH CLOVES OF GARLIC
- 300 G PEELED CANNED TOMATOES OR 3–4 FRESH RIPE TOMATOES
- 2 TBSP COLD-PRESSED OLIVE OIL
- 2–3 LEMON SLICES
- SEA SALT
- PINCH OF WHITE SUGAR (DEPENDING ON THE SWEETNESS OF THE WINE)
- FRESHLY GROUND BLACK PEPPER
- 2 TSP DRIED OREGANO
- FRESH CORIANDER (OPTIONAL)

Put the octopuses into the wine and simmer on a low heat. Do not cover! Peel the cloves of garlic, press the cloves with the flat side of the knife, so that they become juicy and mushy. Thereafter chop them coarsely and add to the pot with the octopuses. Let the pot simmer for 30 minutes, and thereafter chop the tomatoes (if you use a blender do not puree them – chunks suit this dish) and add to the pot with the oregano. Season with salt and pepper and let it simmer for another 5 to 7 minutes. Finally, add the lemon slices, sprinkle with freshly chopped coriander, and serve as a light lunch or summer dinner. Grilled vegetables or a slice of (olive) bread are perfect additions.

Oliivi-ürdisai

Kõmnele

1 PAKK	KUIVPÄRMI
1,5 DL	KÄESOOJA VETT
2 TL	SUHKRUT
1 SPL	OLIIVIÕLI
3 KL	NISUJAHU
1	SUUR SIBUL, HAKITUD
1 TL	MERESOOLA
VÄRSKET MUSTA PIPART	
3 SPL	KIVIDETA OLIIVE, HAKITUD
1 SPL	MUSTA OLIIVIPASTAT (SAAB ILMA KA!)
HAKITUD VÄRSKEID ÜRTE (SILE PETERSELL, KORIANDER, PUNE, MÜNT)	

Raputa pärm suures savikausis olevasse sooja vette, lisa suhkur, sega hoolikalt läbi ja jäta 15 minutiks seisma. Kuumuta nõrgal tulel oliiviõlis sibul. Jäta jahtuma.

Sõelu jahu kaussi, sega soola ja pipraga. Uurista käega jahu sisse süvend ja puista sinna tükeldatud oliivid, sibul koos õliga, pärmi ja vee segu, oliivipasta ja ürdid. Sega kätega pehme tainas. Kui vaja, pane jahu juurde. Sõtku 5–10 minutit, et tainas saaks sile ja läikiv. Raputa üle jahuga ja jäta sooja kohta rätiku alla kerkima.

Kui tainas on umbes kahekordseks kerkinud, suru see alla ja sõtku mõni minut. Vormi käte vahel päts ja pane paberiga kaetud ahjuplaadile. Vajuta sõrmega augumuster või tõmba puust pannilabidaga triibumuster, raputa üle jahuga ja jäta rätiku alla *ca* 20 minutiks kerkima.

Küpseta *ca* 10 minutit 225 °C juures, et saada hea koorik, ning siis alanda kuumus 175 °C-ni. Küpseta veel 10–25 minutit. Sobib kõigi vahemere toitude juurde. On suurepärane ka hummusega!

Olive and herb bread

Serves 10

1	PACKAGE OF DRY YEAST
1½ DL	LUKEWARM WATER
2 TSP	SUGAR
1 TBSP	OLIVE OIL
3 CUPS	WHEAT FLOUR
1	LARGE ONION, CHOPPED
1 TSP	GROUND SEA SALT
FRESHLY	GROUND BLACK PEPPER
3 TBSP	PITTED OLIVES, CHOPPED
1 TBSP	BLACK OLIVE PASTE (OPTIONAL!)
CHOPPED	FRESH HERBS (SMOOTH PARSLEY, CORIANDER, OREGANO, MINT)

Put the yeast into warm water in a large clay bowl. Add the sugar and stir thoroughly. Set aside for 15 minutes. On low heat, heat the chopped onion in the olive oil. Let cool.

Sift the flour into the bowl. Mix in the salt and pepper. Using your hands, make a hollow in the flour, and sprinkle in the herbs; add the chopped olives, the lightly stewed chopped onion along with the oil, the yeast and water mixture, and olive paste. Mix by hand, until you have soft dough. If necessary, add flour. Knead for 5 to 10 minutes, so that the dough is smooth and shiny. Sprinkle it with flour, cover with a dishtowel, and leave in a warm place to rise.

When the dough has risen and expanded to about double its original size, push it down, and knead it for a few minutes. Form into a loaf, by hand, and put it into a baking pan covered with baking paper. Make a pattern of holes, into the top of the loaf, with your fingers, or create a striped pattern with a wooden spatula. Sprinkle with flour, and leave under the towel to rise, for about 20 minutes.

Bake for about 10 minutes, at 225 °C, to get a good crust. Then reduce the temperature to 175 °C. Bake for another 10 to 25 minutes. A wonderful addition to any Mediterranean meal. Also great with hummus!

Kreeka jogurt kreeka pähklite ja meega

Mõne maitsekombinatsiooniga on nii, et kohapeal tundub see imeline – näiteks erilised juustud, singid või kastmed ja sinepid. Aga kui neid suure vaimustusega koju kaasa ostad, siis selgub, et ilma vastava õhustiku või päikese või muu salapärase päritolumaale omase fluidumita on nad kaotanud igasuguse võlu. Kreeka jogurt mee ja pähklitega passib aga ilmselt igasugusesse kliimasse, kuid loomulikult mõjub ta maagiliselt just suvel õues päikese käes.

. . .

Neljale

- 1 L MAITSESTAMATA JA PAKSENDAJATETA JOGURTIT
- 4 SPL VOOLAVAT VÄRSKET METT
- 20 HELEDAT KREEKA PÄHKLIT
- SOOVI KORRAL VÄRSKEID MUSTIKAID, VAARIKAID, MAASIKAID VÕI TÜKELDATUD PUUVILJU, MELON JA ARBUUS ON IMEHEAD
- KAUNISTUSEKS MÜNDI- VÕI MELISSILEHTI, AEDKANNIKESI, ROOSI KROONLEHTI

Kreeka jogurt on paks nagu korralik vahukoor. Selle saamiseks pead kodumaist naturaalset jogurtit lihtsalt nõrutama ja ongi ta käes. Ühe liitri nõrutamisel saad pisut vähem kui pool liitrit paksu kreemjat ollust. Võta suur sõel ja vooderda kohvifiltritega (sobib ka kahekordne köögipaber), kalla jogurt sisse ja jäta 3–4 tunniks jahedasse kohta potti nõrguma. Sõelale jäänud maius jaga magustoidukaussidesse, sega marjade või puuviljadega (aga ilma nendetagi on imehea!), puista peale tükeldatud kreeka pähklid ja kalla üle meega. Serveeri söödavate lillede ja mündi-melissi lehtedega kaunistatult. Maaliline maitseelamus!

☛ Ehtsa kreeka jogurti saad igast värskest kohalikust jogurtist, kuhu pole lisaaineid pandud. Sestap sobivad hästi Pajumäe, Esko ja Nopri talujogurtid. Järelejäänud vedelik joo ära või kasuta toidu tegemiseks, see on tulvil tervislikkust!

☛ Võimaluse korral kasuta orgaanilisi pähkleid. Tavapoes müüdavad on tihti lisaainete tõttu kibedad ning rikuvad magustoidu. Võid proovida neid leotada üle öö, see parandab asja. Kõige paremad pähklid saad otse kasvatajalt – lõunamaistelt turgudelt – ja neid tasub endale alati kingiks kaasa tuua!

Kreeka jogurt

Greek yoghurt

Greek yoghurt with walnuts and honey

Some taste combinations are especially wonderful when you try them locally – for instance, special cheeses, hams, or sauces and mustards. But, when you enthusiastically bring them back home with you, you are disappointed to discover that without the appropriate atmosphere, or sun, or other mystical ingredient characteristic of their home country, they lose all their charm. However, Greek yoghurt, with walnuts and honey, is perfect in any climate, although, naturally, it has the most magical effect when eaten during the summer, in a sunny garden.

. . .

Serves 4

- 1 LITRE UNFLAVOURED YOGHURT WITHOUT THICKENER
- 4 TBSP FRESH HONEY
- 20 LIGHT WALNUTS
- IF YOU WISH, YOU CAN ALSO ADD FRESH BILBERRIES, RASPBERRIES, STRAWBERRIES AND CHOPPED FRUIT; MELON AND WATERMELON ARE ALSO VERY GOOD
- GARNISH WITH MINT OR BALM LEAVES, PANSIES OR ROSE BLOSSOMS.

Greek yoghurt is thick, like proper whipped cream. To achieve this, you just have to strain our local natural yoghurt. If you strain 1 litre, you will get half a litre of a thick, creamy substance. Take a large strainer and line it with a coffee filter (two layers of paper towelling will also work). Pour in the yoghurt and let it stand and strain into a pot for 3 to 4 hours, in a cool place. Divide the sweet morsels left in the strainer into dessert bowls, stir in some berries or fruit (but delicious even without these!), sprinkle on some chopped walnuts, and pour on the honey. Serve, garnished with eatable flower petals, and mint or balm leaves. A picturesque taste treat!

☛ You can make genuine Greek yoghurt from any fresh local yoghurt that has no additives. Thus, Pajumäe, Esko and Nopri farm yoghurts are quite suitable. And drink the remaining liquid, or use it for preparing food, since it is filled with wholesomeness!

☛ If possible, use organic nuts. Those sold in ordinary stores are often bitter due to additives, and will ruin the dessert. Or, try soaking the nuts overnight, since this will improve matters. The best nuts are those you get directly from the growers – in southern markets – and it's worth bringing them back home, as a gift for yourself!

Türgi

Oma 72,56 miljoni elanikuga ja 92,3 inimesega ühel ruutkilomeetril on Türgi võimas suurriik.

Külastasin Türgit siis, kui kõik tuttavad olid seal juba ammu käinud. Neile oli väga meeldinud ja mulle meeldis ka. Olime Türgi presidendi kaasa Hayrünnisa Güliga juba nende Tallinna visiidi ajal tuttavaks saanud ja riigivisiidil Ankarasse ootas meid suisa kodune vastuvõtt. See riik on täis põnevaid kontraste. Minu elavaim mälestus on pärit päevast, mil Arvo Pärdile anti „Aadama itku" maailma esiettekande eel toimunud pidulikul tseremoonial Istanbuli Hagia Irene (Püha Rahu) muuseum-kontserdisaalis üle Istanbuli muusikafestivali elutööpreemia. Sealsamas naabruses seisis 1700 aastat tagasi ehitatud Hagia Sophia – tollal maailma suurim pühakoda, kus võib tänapäeval imetleda sõbralikult kõrvuti seismas nii islami kui ka kristluse sümboleid. Selle inimliku hoole ja religioonide vabaduse muuseumi kõrval elab aga oma vilgast elu kuue minaretiga Sinine mošee. Kutsung palvele toob reedeti pühamusse kuni 15 000 usklikku. Istanbul on maailmalinn ja kultuuride kokkusaamise paik. See ühe jalaga Euroopas ja teisega Aasias seisev metropol on paik, kuhu rännumees lihtsalt peab minema. Ning türklaste valget imemaitsvat ja ainult neile teada oleva retsepti järgi tehtud juustu igatsen ikka ja jälle uuesti proovida. Sidrun ja petersell on üks türgi maitsekombinatsioone, mida koduski kerge järele proovida. *Afiyet olsun!*

Turkey

With its population of 72.56 million and 92.3 people per square kilometre, Turkey is a powerful major power.

I visited Turkey long after all my friends had already been there. They had really liked it there, and so did I. I had become acquainted with Hayrünnisa Gül, the wife of the Turkish president, during their visit to Tallinn, and on our state visit to Ankara, I was greeted by a truly homey reception. This country is filled with interesting contrasts. My most vivid memory is from the day when, at a formal ceremony in the concert hall in Istanbul's Hagia Irene (Holy Peace) Museum, Arvo Pärt received a prize for his lifework before the world premiere of his *Adam's Lament* at the Istanbul International Music Festival. In the vicinity, stood the Hagia Sophia, built 1,700 years ago – the world's largest house of worship at the time – where, today, we can marvel at Islamic and Christian symbols standing in friendly proximity. The Blue Mosque, with its six minarets, lives its lively life next to this museum of human caring and religious freedom. On Fridays, the call to prayer brings up to 15,000 believers to the sanctuary. Istanbul is a world city; a place where cultures meet. With one foot in Europe, and the other in Asia, this metropolis is a place that every traveller should visit. And time and again, I long to try the Turk's very delicious white cheese that is made according to their secret recipe. Lemon and parsley is a Turkish taste combination that is easy to try at home. *Afiyet olsun!*

Lahana Dolmasi elik kapsa- või viinamarjalehe rullid

10 tükki

VASTAV ARV VIINAMARJA- VÕI KAPSALEHTI, IGA RULLI JAOKS PEOPESASUURUNE TÜKK

TÄIDIS

- 250 G PIKATERALIST RIISI
- 6 SIBULAT, RIIVITUD VÕI VÄGA PEENEKS HAKITUD
- 1 TOMAT, KOORITUD, PEENEKS HAKITUD
- 4 SPL SEEDERMÄNNIPÄHKLEID (VÕI PIINIASEEMNEID)
- 2 SPL SEEMNETETA ROSINAID
- PUNDIKE VÄRSKET TILLI, HAKITUD
- PUNDIKE VÄRSKET MÜNTI, HAKITUD
- 1 TL PIMENTI*, JAHVATATUD (VÕID ASENDADA NELGIGA)
- ½ TL KANEELI
- 1 TL ROOSUHKRUT
- MERESOOLA
- VÄRSKET MUSTA PIPART
- 1 KLAAS *EXTRA-VIRGIN* OLIIVIÕLI
- 1 KLAAS KUUMA VETT

HAUTAMISEKS (10-LE)

- 400 ML KUUMA VETT
- 100 ML OLIIVIÕLI
- ¼ TL MERESOOLA
- ¼ TL SUHKRUT
- 1 SIDRUN, KOORITUD JA VIILUTATUD

* *Pimenti tuntakse ka jamaika pipra, nelkpipra ja vürtspipra nime all.*

Dolmad on armastatud suupisted nii türklaste kui ka kreeklaste laual. Kui Istanbulis koka käest just türgilikku omapära välja uurida püüdsin, vastas ta toidukunstnikule kohaselt: „Sa võid tegelikult igasugu asju sinna lehe sisse keerata. Peaasi, et oleks värske. Meie Türgis kasutame tihti viinamarjalehtede asemel hoopis kapsast – see on ju ka teile omasem?" Ja lisas juurde juba kulunud soovituse: „Poest ostetud dolmasid ärge parem proovigegi. Pealegi – neid on lihtne teha, eriti koos hea seltskonnaga!"

. . .

Täidise valmistamiseks aja sügavas pannis oliiviõli kuumaks, prae sibulad ja piiniaseemned selles õrnalt kuldseks (hoia madalat kuumust!). Lisa riis, sega ja kuumuta mõned minutid; lisa tomatid, rosinad, maitseained, vesi, maitsesta soola ja pipraga; sega hästi läbi, kata kaanega ja hauta madalal kuumusel umbes 20 minutit või kuni vedelik on aurustunud. Sega sisse münt ja till ning lase jahtuda.

Kui kasutad konserveeritud viinamarjalehti, leota neid külmas vees üle öö. Värsked lehed, ka kapsalehed pista mõneks minutiks keevasse vette, lõika ära kõvad leherootsude osad, nii et alles jäävad peopesasuurused ilusad lehed – kandilised või ümarad. Pane umbes teelusikatäis täidist lehe keskele ja rulli servi üles tõstes (nagu poes vorst paberisse pannakse) umbes sõrmesuurune mõlemalt poolt suletud rullike. Laota kapsa- või viinamarjalehtede ülejäägid ja rootsud panni põhja, lao rullid tihedalt üksteise kõrvale sinna peale. Võid teha ka mitu kihti. Siis sega omavahel vesi, õli, sool ja suhkur, kalla sellega dolmad üle, kata sidruniviiludega ning pane peale raskus, nt kuumakindel taldrik. Kata kaanega ja hauta umbes 25 minutit. Kalla liigne vedelik ära ja jäta kaane alla jahtuma. Seda rooga nauditakse näpu vahelt ja külmana. Säilib külmikus kaua värske. Imehea!

☛ Viinamarjalehti müüakse meie toidupoodides konserveerituna – sobivad hästi!

Lahana Dolmasi

Lahana Dolmasi

Lahana Dolmasi or cabbage or grape leaf rolls

Dolmades are beloved snacks on both Turkish and Greek tables. When I tried to pry the secret of the distinctly Turkish dolmades from a chef in Istanbul, his answer was typical of a culinary artist, "You can actually roll all kinds of things into the leaves. The main thing is that they be fresh. In Turkey, we often use cabbage instead of grape leaves – but that is also familiar to you?" And he added a well-worn recommendation, "It's best not to even try store-bought dolmades. Besides, they are easy to make, especially in good company!"

. . .

20 dolmades

20 GRAPE OR CABBAGE LEAVES – A PALM-SIZED LEAF FOR EACH ROLL.

FILLING

250 G	LONG-GRAIN RICE
6	ONIONS, GRATED OR VERY FINELY CHOPPED
1	TOMATO, PEELED AND FINELY CHOPPED
4 TBSP	OF STONE PINE NUTS
2 TBSP	SEEDLESS RAISINS
BUNCH	OF FRESH DILL, CHOPPED
BUNCH	OF FRESH MINT, CHOPPED
1 TSP	ALLSPICE*, GROUND (CLOVES CAN BE SUBSTITUTED)
½ TSP	CINNAMON
1 TSP	ROSE SUGAR
GROUND SEA SALT	
FRESHLY GROUND BLACK PEPPER	
1 CUP	OF EXTRA-VIRGIN OLIVE OIL
1 CUP	OF HOT WATER

FOR STEWING (SERVES 10)

400 ML	HOT WATER
100 ML	OLIVE OIL
¼ TSP	SEA SALT
¼ TSP	SUGAR
1	LEMON, PEELED AND SLICED

To prepare the filling, heat the olive oil in a deep pan, and fry the grated or finely chopped onions and stone pine nuts until they are lightly golden (keeping them on a low heat!). Add the rice, stir, and heat for a few minutes. Add the tomatoes, raisins, seasoning, water, and season with salt and pepper. Stir thoroughly. Cover and simmer on a low heat for about 20 minutes, or until the liquid has vaporised. Stir in the mint and dill, and let cool.

If you are using canned grape leaves, first soak them overnight in cold water. Fresh grape leaves, as well as cabbage leaves, should be put into boiling water for a few minutes. Cut off the tough stalks, so you have nice palm-size leaves – either square or round. Put about a teaspoon of filling in the middle of the leaf. Roll, while lifting up the edges, into finger-sized rolls that are closed at both ends (the way sausages are wrapped into paper at the store). On the bottom of the pan, form a patchwork layer of the leftover cabbage or grape leaves, as well as their remainders and stalks. And then, form a tightly-packed layer of the rolls on this bed of leftover leaves. You can form several layers of the rolls. Now, stir together the water, oil, salt and sugar. Pour this over the dolmades. Cover with lemon slices, and put a weight on them, for instance, a heatproof dish. Cover and simmer for about 25 minutes. Pour off the excess liquid. Cover, and leave to cool. Eat this dish, when it's cold, with your fingers. Stays fresh for a long time in the refrigerator. Absolutely delicious!

☛ Canned grape leaves are available in our stores – very suitable for this dish!!

* *Allspice is also known as Jamaican pepper, clove pepper.*

Çikolata Velvet elik Istanbuli restorani Topaz peakoka šokolaadikreem

See hõrgutis pärineb meie tuhapilve-reisi eelõhtust. Olime töövisiidi raames tol päeval Ankarast Istanbuli lennanud. Õhtusöögi ajal teatati, et naabermaade lennuväljad on suletud. Umbes magusroa ajaks selgus, et Türgi president on otsustanud tuhaohu tõttu loobuda Poola presidendi Lech Kaczyński matustele lendamisest. Meiegi olime pidanud türklaste lennukiga Krakówisse saama ja nüüd mõistsime lõplikult, et teekond Istanbulist Tallinnasse tuleb maad mööda läbida. „Pingelises olukorras saavad võõrad inimesed hästi ruttu tuttavaks," ütles minu kõrval istunud Türgi uus suursaadik Eestis proua Ayşenur Alpaslan ja uuris mu palvel kokalt, mismoodi see imehea kreem, mille taga istudes oma dramaatilisi otsuseid tegime, valmistatud oli. Ja tuttavaks saime tõesti ruttu!

...

Kaheksale

- 100 G *CRÈME FRAÎCHE'I** (15% RÕÕSK KOOR)
- 500 G VAHUKOORT (35% RÕÕSK KOOR)
- 400 G PARIMAT TUMEDAT ŠOKOLAADI

* Crème fraîche'*i võid asendada kohvikoore või hapukoorega.*

Sulata šokolaad veevannis, kuumuta *crème fraîche*, sega sisse sulašokolaad, jahuta, sega väga aeglaselt juurde vahustatud vahukoor. Võid lisada purustatud sarapuu- või pistaatsiapähkleid. Maitseks tilk konjakit või kirsilikööri või tšillit. Sulab suus!

☛ Selle kreemi õnnestumine oleneb musta šokolaadi kvaliteedist, ära seal järele anna!

Çikolata Velvet or the Topaz chef's chocolate cream

This delicacy originates from the night before our ash-cloud adventure. That day, we had flown from Ankara to Istanbul, in the course of our working visit. During dinner, we were informed that the airports in the neighbouring countries were closed. During dessert, it became clear that the Turkish president had decided not to fly to President Kaczynski's funeral due to the ash hazard. We were to have flown in the Turkish plane to Cracow. But now, we realised that we would definitely have to make the journey from Istanbul to Tallinn over land. "In stressful situations, strangers become acquainted very quickly," said the new Turkish ambassador, Mrs. Ausenur Alpaslan, who was sitting next to me. At my request, he asked the chef how the very delicious cream, which we were eating as we made our dramatic decisions, was prepared. And we really did become acquainted very quickly!

. . .

Serves 8

100 G	***CRÈME FRAICHE**** (15% FRESH CREAM)
500 G	**WHIPPING CREAM** (35% FRESH CREAM)
400 G	**TOP-QUALITY DARK CHOCOLATE**

Melt the chocolate in a double boiler. Heat the crème fraiche; stir into the melted chocolate. Cool. Very slowly, stir in the whipped cream. You can also add chopped hazelnuts or pistachio nuts. For a special taste, add a drop of cognac, or cherry liqueur, or sweet chilli sauce. Melts in the mouth!

☛ The success of this cream dish depends on the quality of the dark chocolate, so do not make any compromises!

* *Crème fraiche can be replaced with coffee cream or sour cream.*

Baklava

Topkapi palee Istanbulis pole ainult sultanite elu eheda monumendina kuulus. Tuleb välja, et just selles luksuse mekas on leiutatud magusroog, mis on Kesk-Aasias ja mitmetes Vahemere maadeski väga armastatud. Kreeka ürikutes nimetatakse seda „Bütsantsi lemmikuks", sarnaseid maiuseid – filotaina, pähklite ja mee või siirupiga – valmistati ka Aserbaidžaanis ja Usbekistanis. Olin mitmel pool seda maitsta saanud, kuid kuidas seda tehakse, saime kaeda Türgi maiustustetootja Güllüoglu peakorterit külastades. Maitse on rikkalik, ent valmistamine lihtne, nagu paljude heade asjade puhul. Aga aega võtab küll – baklava tahab enne nautimist vähemalt 24 tundi istuda, veel parem kui lausa nädal aega. Seda kogesime omal nahal, kui baklava sahvrisse unustasime ja selle sealt pärast kümnepäevast äraolekut avastasime. Oli teine uskumatult heaks läinud!

...

Kaheteistkümnele

(UMBES 20 × 20 PANNILE)

TÄIDIS

- 1/3 KL KREEKA PÄHKLEID, PURUSTATUD
- 1/3 KL PISTAATSIA PÄHKLEID, PURUSTATUD
- 3/4 KL KOORITUD MANDLEID, PURUSTATUD
- 1/4 KL RÖSTITUD SEESAMISEEMNEID (VÕID ÄRA JÄTTA)
- 2 SPL HELEDAT ROOSUHKRUT
- 1 TL KANEELI

TAINAS

- 11 LEHTE FILOTAINAST (U 230 G)
- 250 G SULAVÕID

SIIRUP

- 1,5 KL HELEDAT SUHKRUT
- 1,5 KL VETT
- 4 SPL METT
- 1 KANEELIKOOR
- 5 TERVET KARDEMONI

Sega hakitud pähklid suhkru ja kaneeliga. Määri ahjupann korralikult võiga. Hoia kõik filotainalehed, mida sa hetkel ei kasuta, toidukile või märja rätikuga korralikult kaetuna – need kuivavad kiiresti! Kasuta üht lehte korraga. Tõsta esimene leht enda ette kuivale puhtale tööpinnale ja pintselda üle sulavõiga. Kui sul on väiksem pann, murra tainaleht pooleks ja pintselda pealmine pool taas võiga üle. Lao niimoodi pannile umbes 6 kihti, igaüks ilusti võiga üle pintseldatud. Seejärel määri tainale umbes 2,5 spl pähklisegu. Siis pane kaks kihti võiga pintseldatud tainast ja uuesti pähklisegu. Kõige peale jäta 4–5 kihti võiga määritud filolehte. Määri pealt hoolikalt võiga, ülejäänud või kalla baklavale. Lõika terava noaga 2 cm laiusteks ribadeks ja seejärel tee lõiked diagonaalis – et baklava ampsud saaksid klassikalise teemandi kuju.

Küpseta eelkuumutatud ahjus 150 °C juures pool tundi ja siis veel pool tundi 180 °C juures. Jäta jahtuma.

Siirupiks sega kõik ained kokku, lase keema ja hauta madalal kuumusel ilma kaaneta nõus 10 minutit. Kalla kogu baklava sellega üle. Jäta mõnulema jahedasse kohta vähemalt ööpäevaks, kuid soovitatavalt kauemaks!

☞ Võid kasutada ka vaid üht tüüpi pähkleid korraga.

☞ Sügavkülmutatud filotainas sulata külmkapis – see võtab umbes 6 tundi –, muidu hakkavad lehed kleepuma.

Baklava

Baklava

Baklava

The Topkapi Palace, in Istanbul, is not only famous as a genuine monument to the life of the sultans. It turns out that a dessert that is very beloved in Central Asia and many Mediterranean countries was invented in this mecca of luxury. In the Greek chronicles, it is called a "Byzantine Favourite"; similar sweets – phyllo dough, nuts and honey or syrup – were also prepared in Azerbaijan and Uzbekistan. I have tasted it in many places, but I was able to see how it is made when I visited the headquarters of the Turkish confectioner Güllüoglu. The taste was rich, but the preparation was simple – like many good things. But, its preparation does take time – before being enjoyed, baklava needs to set for at least 24 hours, and even better for a whole week. I realised this myself when I forgot some baklava in my pantry and discovered it after a 10-day trip. It had become unbelievably good!

. . .

Serves 12

(ON AN APPROXIMATELY 20 × 20 CM PAN)

FILLING

- ⅓ CUP CHOPPED WALNUTS
- ⅓ CUP CHOPPED PISTACHIO NUTS
- ¾ CUP PEELED AND CHOPPED ALMONDS
- ¼ CUP ROASTED SESAME SEEDS (OPTIONAL)
- 2 TBSP LIGHT ROSE SUGAR
- 1 TSP CINNAMON

DOUGH

- 11 PHYLLO DOUGH SHEETS (ABOUT 230 G)
- 250 G MELTED BUTTER

SYRUP

- 1½ CUPS WHITE SUGAR
- 1½ CUPS WATER
- 4 TBSP HONEY
- 1 CINNAMON STICK
- 5 WHOLE CARDAMOMS

Mix the chopped nuts with the sugar and cinnamon. Thoroughly grease the baking pan with butter. Keep all the phyllo dough sheets that you are not using at the moment carefully covered with plastic wrap or a wet towel – they dry out very quickly! Use one sheet at a time. Lift the first sheet onto a dry, clean work surface and brush the sheet with melted butter. If you have a smaller pan, bend the dough sheet in half, and brush melted butter onto the top layer. Stack about 6 layers into the pan, each one thoroughly brushed with melted butter. Thereafter, spread about 2-½ tbsp of nut mixture onto the dough. Then add two more layers of buttered dough, and more of the nut mixture, into the pan. On the top, put 4 to 5 layers of buttered phyllo dough sheets. Butter the top thoroughly, and pour the rest of the melted butter onto the baklava. With a sharp knife, cut 2-cm-wide strips and thereafter make diagonal cuts – so the baklava mouthfuls have a classic diamond shape.

Bake in a preheated oven at 150 °C, for one hour; and for another half hour, at 180 °C. Set aside to cool.

Mix all the ingredients for the syrup, bring to a boil, and simmer, uncovered, on low heat for 10 minutes. Pour this all over the baklava. Leave the baklava to luxuriate in a cool place for at least 24 hours, but preferably for even longer!

☛ You can use only a single kind of nut for each layer.

☛ Thaw frozen phyllo dough in the refrigerator – this takes about 6 hours – otherwise, the sheets will stick together.

Iisrael

Iisraelis elab väikesel territooriumil üle 7 miljoni inimese, ühel ruutkilomeetril keskmiselt 330.

Vaatan oma Iisraelis tehtud fotodel laiuvat täiuslikku kõrbemaastikku ja imestan, kuidas küll sellele väikesele maale nii palju inimesi mahub... Ent igavene linn Jeruusalemm ei lase end millestki häirida, seal on eri maitseid ja rahvaid lausa sadu koos. Muidugi on nende hulgas meeletul hulgal neid, kes on tulnud Kristuse surmapaika või kuulsat Nutumüüri oma silmaga kaema. Või Surnumere vee „paksust" proovima, et kogeda müstilist vee peal püsimise tunnet. Et aga Iisraelis ka väga palju sorte puu- ja köögivilju kasvatatakse, ma varem ei teadnud. Ning et sealt odavate, hiirvaiksete, säravpuhaste ja kiirete elektriautodega arvatavasti maailma vallutama hakatakse, pole üldsegi muinasjutt. Kanarasv ja sibul moodustavad koos ühe juudi köögist tuntud maitse.
בתיאבון elik *b'tayavon!*

Israel

Over 7 million people live on Israel's small territory – an average of 330 per square kilometre.

I look at the expansive desert landscape in my photos of Israel, and marvel at how so many people fit into this small country… Yet, the ancient city of Jerusalem does not allow anything to disturb it. Literally, hundreds of tastes and nationalities are gathered together in Jerusalem. Of course, an infinite numbers of people have come to see the place were Christ died, or the famous Wailing Wall, with their own eyes. Or to try out the "thickness" of the water in the Dead Sea, in order to experience the mystical feeling of floating on the water. However, I did not know how many varieties of fruits and vegetables are grown in Israel. Moreover, the fact that an invasion of the world by an inexpensive, silent, sparkling clean and fast electric car will probably start from here is no fairytale. Chicken fat and onions form one of the famous tastes of Jewish cuisine.
בתיאבון or *b'tayavon!*

Hummus

Hummus on levinud kõikjal Lähis-Idas, ent kas teate, kus tehakse maailma suurimat hummust? Riigivisiit Iisraeli* viis mind külla tollal just seda maailmarekordit hoidvale Abu Goshi restoranile samanimelises külas. Nende kangeim konkurent asub naaberriigis Liibanonis ja nii selle maitsva kikerherne kreemi raskust teineteise võidu üha enam nelja tonni poole nihutataksegi. Abu Goshi kokk aga näitas lahkelt, kuidas kodustes kogustes hummuse tegemine käib ning kinkis ka retsepti kaasa. Sinna juurde kuulus keelitus: kasuta ehtsat 100% tahhiinit – kaubanduses on ka igasugu imeasjadega tembitud 30%, 50% jne mittetäisväärtuslikku kraami – see ei sobi. Ja parem, kui kikerherned võtad ehtsad, leotad neid ise üle öö ja hautad. Kõik see on imelihtne!

. . .

- 3 KL KIKERHERNEID
- 3 SUURT KÜÜSLAUGUKÜÜNT, PEENEKS HAKITUD
- 5 SPL VÄRSKET SIDRUNIMAHLA
- 1,5 TL MERESOOLA
- ¾–1 KL TARATOUR-KASTET
- 3 SPL KÜLMPRESSITUD OLIIVIÕLI
- 2 SPL HAKITUD VÄRSKET KORIANDRIT

TARATOUR-KASTE

- 0,5 KL 100% SEESAMI TAHHIINIT
- 2 SUURT KÜÜSLAUGUKÜÜNT, HAKITUD
- ¼ KL VÄRSKET SIDRUNIMAHLA
- ½ TL MERESOOLA
- ¼ KL KÜLMA VETT
- OLIIVIÕLI KÜÜSLAUGU KUUMUTAMISEKS

Taratour-kastmeks kuumuta küüslauk oliiviõlis nõrgal tulel klaasjaks, lisa ülejäänud komponendid ja vahusta saumikseriga või köögikombainis. Kui segu on majoneesist paksem, lisa lusikashaaval vett juurde. Kastet tuleb peaaegu klaasitäis.

Hummuseks hauta leotatud või konserveeritud kikerherned pehmeks (umbes 1–1,5 tundi). Kuumuta küüslauk kergelt õlis, lisa kikerhernestele, pane juurde taratour, sidrunimahl ja maitseained ning vahusta saumikseriga või köögikombainis. Kui segu on liiga paks, lisa juurde herneste keeduleent või vett. Pane karpidesse ja piserda üle oliiviõliga, siis säilib see mitu nädalat külmikus värske. Sobib liha ja kala kõrvale, aga ennekõike lihtsalt saia või leiva peale. Üliheaja tervislik ka!

* *Eesti Vabariigi presidendi riigivisiit Iisraeli toimus 27.–29.06.2010.*

Hummus

Hummus

Hummus

Hummus is popular throughout the Middle East, but do you know where the world's largest quantity of hummus is made? A state visit to Israel* took me to the village of Abu Goshi, to a restaurant of the same name, which held the world record at that time. Their stiffest competitor was located in neighbouring Lebanon, and thus, they competed in inching the amount of the delicious chickpea cream produced ever closer to four tons. However, the Abu Goshi cook was happy to show me how hummus is prepared in more manageable quantities suitable for home use, and also gave me a recipe to take along. This was accompanied by a concrete piece of advice: use only 100% genuine tahini – commercial tahini has been diluted with various miracle substances to 30% or 50%, thus creating an inadequate product, which is not suitable. And even better, use authentic chickpeas, soak them yourself, overnight, and simmer. It is all very simple!

. . .

3 CUPS	CHICKPEAS
3	LARGE CLOVES OF GARLIC, FINELY CHOPPED
5 TBSP	FRESH LEMON JUICE
1½ TSP	GROUND SEA SALT
¾–1 CUP	TARATOUR SAUCE
1 TBSP	COLD-PRESSED OLIVE OIL
2 TBSP	CHOPPED FRESH CORIANDER

TARATOUR SAUCE

½ CUP	100% SESAME TAHINI
2	LARGE CLOVES OF GARLIC, CHOPPED
¼ CUP	FRESHLY SQUEEZED LEMON JUICE
½ TSP	GROUND SEA SALT
¼ CUP	COLD WATER

OLIVE OIL FOR HEATING THE GARLIC

For the *Taratour* sauce, heat the garlic in olive oil on low heat until it becomes glazed. Add the remaining ingredients, and whip with a hand blender or food processor. Once the mixture is thicker than mayonnaise, add the water, a spoonful at a time. You'll get almost a cupful of sauce.

For the hummus, simmer the soaked or canned chickpeas until soft (about 1 to 1½ hours). Heat the garlic slightly in oil. Add the chickpeas, *Taratour*, lemon juice and seasoning, and whip with a hand blender or food processor. If the mixture is too thick, add the broth left from cooking the peas or water. Put into containers and sprinkle with olive oil. It will stay fresh for several weeks. A perfect addition to meat or fish dishes, but, best of all, simply spread on bread. Delicious, and healthy too!

* *The state visit of the President of Estonia took place from 27 to 29 June 2010.*

Maroko

Marokos elab pisut alla 32 miljoni inimese ja ruumi jagub: ühe ruutkilomeetri kohta on seal keskmiselt 71,4 inimest.

Maroko pole küll päris Vahemere riik, aga Gibraltari väina kaudu on ta Vahemerega siiski seotud. Ajalooraamatud pajatavad, et ega marokolased ise ka päris aafriklased pole, nad olla hoopis kunagised portugallased. Võta sa kinni, igatahes on Atlandi ookean mõlema maa elu, mustreid ja kööki alati tugevasti mõjutanud. Minu meelest põhjamaalase maitsele igati meeldivas suunas. Imetoredaks talvepuhkuseks on aga Maroko üks lähimaid kohti, jaanuaris on seal üle 20 °C sooja ja taevas ning inimesed päikest täis. Muide, turud on seal lausa maagilised! Marokoliku maitse annad oma toidule kombinatsiooniga vürts-köömen-koriander-kaneel-ingver ja sibul.
بالهنا و الشفاء! elik *bil hana wish shifa'!*

Morocco

Slightly over 32 million people live in Morocco, and there is plenty of room – there is an average of 71.4 people per square kilometre.

Morocco is not actually a Mediterranean country, but it is connected to the Mediterranean by the Strait of Gibraltar. The history books tell us that Moroccans are not really African either, they are actually former Portuguese. What do you know! In any case, the Atlantic Ocean has greatly influenced the life, patterns and cuisine of both countries. And I think, in a direction that is quite appealing to Nordic tastes. Morocco is one of the closest destinations for a wonderful winter holiday. In January, it is 20 °C there, and the sky and the people are full of sunshine. By the way, the markets are downright magical! You can give your food a Moroccan flavour with onions and a combination of cumin, coriander, cinnamon and ginger.
بالهنا و الشفاء! or *bil hana wish shifa'!*

Tagjine
elik marokopärane pajaroog

Tagjine nimetus tuleneb spetsiaalsest keraamilisest potist, millel on kõrge koonusekujulise tipuga kaas. Just see kuju paneb potis kuuma auru ringlema, tekitades nõnda iseäraliku keskkonna, milles küpsenud roogadel on eriline mõnus mekk ja tekstuur. Kõige ilusamad potid on mõistagi saadaval Marrakechi ja Agadiri turgudel, ent ilma käsimaalinguteta *tagjine*-potte leidub kõikjal Euroopa köögipoodides. Maroko köögi au ja uhkus ning terve kultuuri pruun kuld on argaaniõli, mida valmistatakse mandlite moodi argaanipuu viljadest. Kõige ehedam õli pressitakse turul käsitsi otse ostja silme all. See õli tervendavat tuhandest tõvest ja mõistagi mõjub ta väga hästi nahale ja jumele. Argaanipuud kasvavad ainult Marokos ja sestap kasutavad marokolased ka oma toitudes just eelkõige seda ülimaitsvat nestet.

Siinne retsept on üks põhiretseptidest, võid sinna vabalt oma maitse järgi köögivilju ja ka värskeid koorega kartuleid lisada.

Vajad

- 1 KG PEHMET LAMBALIHA (VÕID ASENDADA LIHAVEISE VÕI ULUKILIHAGA), 2–3 CM TÜKKIDENA
- 2 SIBULAT, VIILUTATUD
- 2 SIBULAT, HAKITUD
- 6 KÜÜSLAUGUKÜÜNT, HAKITUD (SAAB KA ILMA)
- 80 ML ARGAANIÕLI (VÕID ASENDADA PÄHKLI- VÕI OLIIVIÕLIGA)
- 1 SPL INGVERIT
- ½ TL VÄRSKET MUSTA PIPART
- ½ TL KURKUMIT
- ½ TL SAFRANIT
- 1 TL VÜRTSKÖÖMNEID (SAAB KA ILMA)
- MERESOOLA
- SEOTUD PUNT VÄRSKET KORIANDRIT
- 100 ML KIVIDEGA OLIIVE
- 1 KL VETT
- SERVEERIMISEKS HAKITUD VÄRSKET MURULAUKU, KORIANDRIT, PETERSELLI
- SOOVI KORRAL KUUBIKUTENA PORGANDIT, VÄRSKET KARTULIT, SUVIKÕRVITSAT, KÕRVITSAT, NUIKAPSAST, PASTINAAKI VMS KÖÖGIVILJA

. . .

Laota sibularattad *tagjine*-poti põhja. Sega kausis lihatükid maitseainete ja hakitud küüslaugu ning sibulaga, pane koos vee, argaaniõli ja oliividega potti, peale punt koriandrit, kata kaanega ning lase aeglaselt mulisema. Alanda kuumus nii madalale kui võimalik ning jäta roog sinna 3 tunniks mõnulema. Kui tahad köögivilju lisada, pane need umbes 45 minutit enne valmimist liha peale. Valmisroas on liha nii pehme, et sulab juba näppude vahel. Sega enne serveerimist hästi läbi, kaunista ürtidega ja pane *tagjine* koos potiga lauale. Marokos istutakse ümber poti, igaüks õngitseb rooga oma lusikaga ja hammustab krõbeda koorikuga valget leiba peale. Mmmm…

Tagjine

Tagjine

Tagjine or Moroccan-style stew

The name *tagjine* comes from a special ceramic pot which has a tall cone-shaped cover. It is this shape that causes the hot steam in the pot to circulate, thereby creating an environment that which gives the dishes a special enjoyable taste and texture. Naturally, the most beautiful pots are available in the markets of Marrakech and Agadir. However, *tagjine* pots without hand-painted decorations can be found in cookware stores throughout Europe. The pride of Moroccan cuisine, and the brown gold of the entire culture, is argan oil, which is produced from the almond-like fruit of the argan trees. The purest oil is pressed at the market, by hand, in view of the customer. This oil can heal a thousand ailments, and also has a wonderful effect on the skin and complexion. Argan trees grow only in Morocco, and therefore, Moroccans use this very tasty substance in most of their dishes.

This recipe is a basic one – add vegetables and unpeeled new potatoes to suit your taste.

Serves 4

- 1 KG TENDER LAMB (YOU CAN SUBSTITUTE BEEF OR GAME), CUT INTO 2–3 CM PIECES
- 2 ONIONS, SLICED
- 2 ONIONS, CHOPPED
- 6 CLOVES OF GARLIC, CHOPPED (OPTIONAL)
- 80 ML ARGAN OIL (YOU CAN SUBSTITUTE NUT OR OLIVE OIL)
- 1 TBSP GINGER
- ½ TSP FRESHLY GROUND BLACK PEPPER
- ½ TSP TURMERIC
- ½ TSP SAFFRON
- 1 TSP CUMIN (OPTIONAL)
- GROUND SEA SALT
- TIED BUNCH OF FRESH CORIANDER
- 100 ML OLIVES WITH PITS
- 1 CUP WATER
- TO SERVE, ADD CHOPPED FRESH CHIVES, CORIANDER, PARSLEY.
- YOU CAN ALSO ADD CUBED CARROTS, NEW POTATOES, COURGETTES, PUMPKIN, KOHLRABI, PARSNIP AND OTHER VEGETABLES.

. . .

Lay the onion rings on the bottom of the *tagjine* pot. In a bowl, mix the meat with the seasoning. Add the chopped garlic and onion. Put into the pot along with the water, argan oil and olives. Top with the bunch of coriander. Cover, and let simmer slowly. Turn the heat as low as possible, and leave the dish to luxuriate for 3 hours. If you want to add vegetables, put them on top of the meat about 45 minutes before the dish has finished cooking. When the dish is ready, the meat will be so tender that it melts between your fingers. Before serving, stir thoroughly, garnish with herbs, and put the *tagjine*, along with the pot, on the table. In Morocco, everyone sits around the pot and fishes the food out with their own spoon, and then takes a bite of white bread with a crispy crust. Mmmm …

Ibeeriasse!
To Iberia!

Paljudel *seostub Ibeeria tuntud lennukompaniiga, ent ammu enne oli selle nime saanud Euroopa kõige läänepoolsem suur poolsaar. Sinna mahuvad Hispaania, Portugal, Andorra ja tükike Prantsusmaadki. Selle maanurga elustiili, maitseid ja mustreid on ehk enim mõjutanud Atlandi võimsad vood. Ilma ja inimesi kindlasti ka… Ja legend pajatab, et kuulus kellaviietee pole sugugi pärit Inglismaalt, vaid hoopis Ibeeriast, täpsemalt Portugalist.*

Many *people associate the word "Iberia" with a well-known airline, but long before that, it was the name of Europe's most westerly large peninsula. It encompasses Spain, Portugal, Andorra and even a piece of France. The lifestyle, tastes and patterns of this part of the world have probably been affected most by the powerful currents of the Atlantic. The weather and the people too… And legend has it that the 5 o'clock tea did not originate in England, but in Iberia, in Portugal, to be exact.*

Portugal

Portugal pole pindalalt palju suurem kui Eesti, ent seal elab ühel ruutkilomeetril üle kolme korra rohkem rahvast – 115 inimest, kokku natuke üle 10,6 miljoni.

Portugali visiidil* küsisime kohalikelt, missugune toit võiks nende rahvusroa tiitlit kanda. „*Bacalhau*!" (bakaljau) – tuli mitmest suust ühekorraga. Keegi meist polnud iialgi sellenimelist toitu kohanud, sestap asusime õhinal selgitusi kuulama. Tegu ei olevatki ühe kindla roaga. Igas maakonnas tehakse seda omamoodi, igal perenaisel on oma retsept. Keskne tegelane ses toidus on soolatursk. Sealt see nimigi. „Te elupaika ümbritseb meri, kus on esindatud kõik unistuste kalad ja mereannid tuunikalast krabideni. Ja teie sööte soolaturska?!" ei saanud alatasa värske kala kitsikuses vaevelnud eestlaste seltskond hästi aru. „Aga võib-olla on see maitse teil geenides juba Magalhãesi aegadest, mil portugallased suure mererahvana maailmameresid vallutasid ja olude sunnil ehk laevas soolaturska sõid?" uurisin lauanaabrilt naljatamisi. „Äkki ongi!" naeris ta vastu. Portugalipärast hõngu annab sinu toidule näiteks kombinatsioon oliiviõlist, küüslaugust ja pähklitest. *Bom apetite!*

Portugal

Portugal's area is not much larger than Estonia's, but there are almost 115 people per square kilometre – almost three times more than in Estonia – for a total population of 10.6 million.

On our state visit to Portugal**, we asked the locals, what dish could be called their national food. "Bacalhau!" (bakaljau) was the answer we heard, simultaneously, from everyone. None of us had ever heard of this dish. Therefore, we eagerly listened to descriptions of it. Actually, it is not a specific dish. Each province has its own version; each housewife has her own recipe. The central character in this dish is salted cod. Therefore, the name. "You live on the seacoast, with all the fresh fish and seafood you can dream of – from tuna to crabs. And you eat salted cod?!" Our travelling group, consisting of Estonians, who continually suffer from a shortage of fresh fish, could not understand this penchant of the Portuguese. "But maybe the taste was implanted in your genes in the Magellan era, when the great Portuguese seafarers conquered the world's seas, and were perhaps forced to eat salted cod on board their ships?" I jokingly asked my partner at the dinner table. "Perhaps that's true!" he replied with a laugh. You can give your food a Portuguese flavour by using a combination of olive oil, garlic and nuts. *Bom apetite!*

---

* *Eesti Vabariigi presidendi töövisiit Portugali toimus 19.–21.07.2009.*

** *The working visit of the president of Estonia to Portugal took place from 19 to 21 July 2009.*

Bacalhau elik pajaroog soolatursaga

Bacalhau's on alati soolatursk, piim selle leotamiseks ja hautamiseks ning sibul, küüslauk, oliiviõli ja enamasti ka kartulid. Muud komponendid on perenaise fantaasia vili. Sestap leiutasin mina oma *bacalhau*, mille retsept on järgmine.

. . .

Neljale

600 G TURSAFILEED (VÕIB OLLA KA KÜLMUTATUD VÕI SOOLATUD)
600 ML PIIMA
2 SIBULAT, HAKITUD
2 KÜÜSLAUGUKÜÜNT, HAKITUD
OLIIVIÕLI
1 VÄIKSEM SUVIKÕRVITS
2 KL ROHELISI UBE
1 KL ROHELISI HERNEID
2 LOORBERILEHTE
MERESOOLA
VÄRSKELT JAHVATATUD VALGET PIPART
NÄPUTÄIS HELEDAT ROOSUHKRUT
1 TL JAHVATATUD KORIANDRISEEMNEID
1 TL JAHVATATUD VÜRTSKÖÖMNEID
MÕNED TILGAD SIDRUNIÕLI
KAUNISTUSEKS VÄRSKEID ÜRTE (PETERSELLI, KORIANDRIT, TILLI)

Loputa tursk külma vee all hoolega üle ja kuivata. Tema iseloomuliku ookeanikala lõhna võtab piim ära. Lõika kala kuubikuteks ja pane vähese meresoolaga sügavasse panni piima sisse 5 minutiks hauduma. Lisa sinna ka loorberilehed ja kui on, mõned kuivanud ürtide varred. Seejärel tõsta vahukulbiga kalatükid piima seest välja taldrikule ootama. Kuumuta madalal kuumusel sibul ja küüslauk oliiviõlis kuldseks, kalla tasa mullitava piima sisse. Lisa koriander ja vürtsköömen. Viiluta suvikõrvits ja pruunista kergelt kuival pannil ning lisa samuti piimale. Pane juurde ka rohelised oad ning hauta 10 minutit. Lõpuks lisa herned ja tursakuubikud, maitsesta meresoola ja tibakese roosuhkru ning paari tilga sidruniõliga. Serveerimisel tilguta roale külmpressitud oliiviõli ja raputa üle värske valge pipra ning hakitud rohelisega. Naudi kerget rooga, süües supitaldrikult supilusikaga. Kihnu sai sobib sinna kõrvale ülihästi.

☛ Kui oled kartulisõber, siis kartulid keeda eraldi ja koorega ning lisa viilud kõige lõpus koos herneste ja tursaga. Iseäranis head on selles roas väiksed värsked kartulid.

☛ Sidrunimahl ja -lõigud ajavad piima kalgenduma, sestap saab piimaroale anda värsket sidrunimaitset sidruniõliga. Müügil tervisetoodete letis.

Bacalhau
or stew with salted cod

The various versions of bacalhau always contain salted cod, milk to soak and simmer it in, as well as onion, garlic, olive oil and, usually, potatoes. The choice of the other ingredients is left up to each individual cook. Therefore, I invented my own bacalhau. Here is my recipe.

...

Serves 4

600 G	COD FILLETS (MAY BE FROZEN OR SALTED)
600 ML	MILK
2	ONIONS, CHOPPED
2	CLOVES OF GARLIC, CHOPPED
OLIVE OIL	
1	SMALL COURGETTE
2 CUPS	GREEN BEANS
1 CUP	GREEN PEAS
2	BAY LEAVES
GROUND SEA SALT	
FRESHLY GROUND WHITE PEPPER	
A PINCH OF LIGHT ROSE SUGAR	
1 TSP	GROUND CORIANDER SEEDS
1 TSP	GROUND CUMIN
A FEW DROPS OF LEMON OIL	
FRESH HERBS FOR DECORATION (PARSLEY, CORIANDER, DILL)	

Carefully rinse the cod with cold water and dry. The milk will remove the characteristic saltwater fish smell. Cut the fish into cubes. Add a little sea salt and put the fish into the milk to simmer for 5 minutes. Also, add the bay leaves and a few dried herb stalks, if available. Thereafter, use a skimmer to lift the fish out of the milk. Place it on a plate, and set aside. Heat the onion and garlic on low heat in olive oil until golden; pour slowly into the simmering milk. Add the coriander and cumin. Slice the courgette, and brown it slightly, on a dry pan, and then add it to the milk. Add the green beans, and simmer for 10 minutes. Finally, add the peas and cod cubes. Season with sea salt and a pinch of rose sugar. Add a few drops of lemon oil. When serving, drip cold-pressed olive oil over the dish, and sprinkle it with white pepper and chopped herbs. Enjoy this light meal by eating it with a spoon, from a soup dish. White bread, baked on the small Estonian island of Kihnu, is a perfect addition.

- ☛ If you are a potato lover, boil the unpeeled potatoes separately. Add the sliced potatoes, towards the end, with the peas and the cod. Small new potatoes are especially good with this dish.
- ☛ Lemon juice and lemon slices will curdle the milk; therefore, lemon oil is used to add a fresh lemon taste. It can be found in the health food section of food stores.

Bolo de Merengue
elik beseekook kondenspiimaga

2009. aasta juulikuus oli Portugalis väga kuum. Sooja ilmaga kellelgi suurt magusaisu polnud, aga sealses maagilise nimega restoranis O Pão Saloio – meie keeli Maaleib – pakuti nii maitsvat kooki, mida isegi president teise tüki juurde tellis. Toledos, Vimeiros olid lahked kokad – retsepti saime esimese küsimise peale. Nii võrgutab see hõrgutav kook teid sama kirglikult kodus kui Portugalis.

. . .

Kreeli

1 PURK MAGUSAT KONDENSPIIMA
1 L PIIMA
6 MUNAKOLLAST
2 TL MAISITÄRKLIST
1 SPL MAISIJAHU
MARIE KÜPSISEID
1 KL KOHVI

BESEE

6 MUNAVALGET
6 SPL HELEDAT ROOSUHKRUT
3 SPL SEEDERMÄNNIPÄHKLEID (VÕI PIINIASEEMNEID), VÕID ENNE KERGELT RÖSTIDA KUIVAL KUUMAL PANNIL

Pane piim ja kondenspiim tulele, soojenda – ära keeda, sega ükshaaval sisse munakollased ning maisitärklis ja -jahu, kuumuta paksenemiseni. Mikserda segu läbi saumikseriga või köögikombainis. Lao väiksemale ahjupannile kohvis immutatud Marie küpsistest põhi, peale kreemikiht, nii vaheldumisi, kuni mõlemat jätkub. Kõige peale läheb besee, millesse on segatud seedermännipähkleid. Raputa mõned pähklid kõige peale ka. Küpseta 175 °C juures 4–7 minutit – kuni besee on kuldne. Ongi valmis hõrgumast hõrk maius!

Bolo de Merengue

Bolo de Merengue

Bolo de Merengue or meringue cake with condensed milk

It was very hot in Portugal, in July 2009. In the hot weather, no one had any appetite for dessert, but a restaurant with the magical name of O Pão Saloio, or "Country Bread" in Estonian, served a cake that was so delicious that even the president ordered another piece. The chefs in Vimeiro, Toledo, were so gracious that they gave us the recipe as soon as we asked for it. This delicious cake will enchant you just as fervently at home, as in Portugal.

. . .

Serves 6

1 CAN	SWEET CONDENSED MILK
1 LITRE	MILK
6	EGG YOLKS
2 TSP	CORN STARCH
1 TBSP	CORN FLOUR
MARIE BISCUITS	
1 CUP	COFFEE

FOR THE MERINGUE

6	EGG WHITES
6 TBSP	LIGHT ROSE SUGAR
3 TBSP	SEDAR PINE OR STONE PINE NUTS, (IF YOU LIKE, FIRST ROAST THEM LIGHTLY ON A DRY HOT PAN)

Heat the milk and condensed milk—do not boil. One at time, mix in the egg yolk, as well as the corn starch and corn flour. Heat until thickened. Mix, using a food processor or hand blender. Lay the Marie biscuits soaked in coffee on the bottom of a small baking pan. Add a layer of cream; then alternate the biscuits and cream until you have used them up. The meringue goes on top, with the pine nuts mixed in. Sprinkle some pine nuts on top of the cake as well. Bake at 175 °C, for 4 to 7 minutes, until the meringue is golden. The most delicious of delicious confections is ready!

Hispaania

Hispaanias elab ühel ruutkilomeetril keskmiselt 90 inimest ja ühtekokku on seal rahvast ligemale 46 miljonit.

1000 aastat kuningriiki annab inimestele väärikuse, millest sosistavad tasakesi kuningalossi XVI sajandist pärit hiigelgobeläänid. Nende vahel asub maailma kõige pikem kuninglik pidulaud – üle 100 meetri – ning oma keelt kõnelevad muidugi veinitraditsioonid ja põllumehe põline uhkus. Hispaanialiku maitsekombinatsiooni moodustavad oliiviõli, pipar, sibul ja tomat. *Buen provecho!*

Spain

In Spain, there is an average of 90 people per square kilometre, for a total population of almost 46 million.

One thousand years of monarchy give people a dignity that the giant Gobelin tapestries, from the 16th century, on the walls of the king's castle, whisper about. Between them, you will find the world's longest royal dinner table – over 100 metres long. Moreover, the local wine traditions and ancient pride of the farmers speak their own language. Olive oil, pepper, onion and tomato comprise the Spanish taste combination. *Buen provecho!*

Tortilla de patata elik kartuliomlett

See oli kõige esimene hispaania roog, mida ma maitsesin. Mind üllatas, kui lihtne, üldse mitte vürtsikas ja eesti toidu moodi see oli. Sestap jäi naljakas nimi, mida hääldatakse *tortiija*, mulle alatiseks meelde. *Tortilla*'t valmistama aga õpetas mind palju aastaid tagasi ühes Tallinna keldrikorruse argentiina restoranis töötanud hispaanlasest kokk. Tema nime ma enam ei mäleta. Olgu ta siis tinglikult José.

. . .

Vaja läheb

- 500 G VÄRSKEID KARTULEID, VIILUTATUD, KOOS KOOREGA
- 1 SIBUL, HAKITUD
- 100–150 ML KÜLMPRESSITUD OLIIVIÕLI
- 3 SPL PEENEKS HAKITUD SILEDAT PETERSELLI VÕI KORIANDRIT
- 6 MUNA
- MERESOOLA
- VÄRSKET MUSTA PIPART

Puista kartuliviilud soolaga üle ja sega kätega läbi, et kõigile ühtlaselt jaguks. Kuumuta 2/3 õli pannil ja prae kartuleid, kuni nad pruunistuvad. Seejärel vähenda kuumust ning lisa sibulad. Kui sibulad on klaasjad, kalla kõik suuremasse kaussi (sinna peavad hiljem ka munad mahtuma).

Klopi munad kahvliga kergelt lahti, vaid nii palju, et valge ja kollane oleks segamini, mitte enam! Kalla kartulid ja sibul koos 2 spl koriandriga munaga üle ja sega läbi. Kuumuta pannil ülejäänud oliiviõli, keera kuumus nii madalaks kui võimalik ja kalla pannile munaköögiviljasegu. Kuumuta seda umbes 15 minutit, uuri vahepeal, ega alt ei kõrbe! Lõpuks keera omlett ümber. Selleks pane pannile kummuli suur taldrik, kalluta roog sinna peale ja siis libista pannile tagasi. Servad suru puust spaatliga alla, et nad jääksid ilusad. Prae veel 5 minutit ja lase 10 minutit jahtuda. Kaunista ülejäänud koriandriga ja värske musta pipraga. Lõika omlett sektoriteks ja serveeri hommikusöögina või eelroana. Hispaanlased panevad seda ka võileiva vahele või söövad kerge õhtusöögina. Mis üle jääb, sobib süüa ka külmalt. Ideaalne panna lapsele leiva vahel kooli kaasa.

☛ Võid vabalt lisada ka teisi köögivilju. Meile meeldib näiteks küüslauku ja rohelisi ube panna, vahel spinatit. Hiilgavalt sobib sinna ka *chorizo* koos kirsstomatitega.

Tortilla de patata

Tortilla de patata

Tortilla de patata or potato omelette

This was the very first Spanish dish I ever tasted. I was surprised by how simple it was – not spicy at all, and similar to Estonian food. Therefore, I will always remember the funny name, which is pronounced "tortiija". However, I was taught how to make tortillas, many years ago, by a Spanish chef who worked in a basement-level Argentinean restaurant in Tallinn. I don't remember his name, so let's call him José.

. . .

Serves 4

500G	NEW POTATOES, UNPEELED AND SLICED
1	WHITE ONION, CHOPPED
100–150ML	COLD-PRESSED OLIVE OIL
3 TBSP	FINELY CHOPPED SMOOTH PARSLEY OR CORIANDER
6	EGGS
GROUND SEA SALT	
FRESHLY GROUND BLACK PEPPER	

Sprinkle the potato slices with sea salt, and stir them by hand, to distribute the salt evenly. Heat ⅔ of the oil in a pan, and fry the potatoes until they are browned. Thereafter, turn down the heat, and add the onions. Once the onions become glazed, pour the mixture into a large bowl (there must be enough room to add the eggs later).

Lightly beat the eggs with a fork, just enough to mix the yolks and egg whites, not more! Pour the eggs over the potatoes and onion, along with 2 tablespoons of coriander, and stir thoroughly. Heat the remaining olive oil in the pan, turn the heat down as low as possible, and pour the egg and vegetable mixture into the pan. Heat it for about 15 minutes. While it's cooking, check to make sure that the bottom has not scorched! Finally, turn the omelette over. To do this, cover the pan with a large plate, tip the omelette onto the plate, and then slide the omelette back onto the pan. Push the edges down with a wooden spatula, so that they look nice. Fry for another 5 minutes, and then let it cool for 10 minutes. Decorate with the remaining coriander and freshly ground black pepper. Cut the omelette into sections, and serve for breakfast, or as an appetiser. The Spanish make a sandwich out of it, and eat it for a light supper. Any leftovers can also be eaten cold! Ideal for making a sandwich to pack for a child's school lunch!

☛ You can easily add other vegetables. For example, I like to add garlic and green beans, or spinach. It is also wonderful with chorizo and cherry tomatoes!

Paella di marisco à la Barcelona elik mereandide paella

Neljale

SUUR PAELLAPANN, LÄBIMÕÕT 45 CM

- 1 KÜÜSLAUGUPEA
- ½ KL *EXTRA-VIRGIN* OLIIVIÕLI
- 2 SIBULAT, HAKITUD
- 10 TÜÜMIANIOKSA
- 1–2 PUNAST TERAVAT PIPART, HAKITUD
- 1–2 ROHELIST TERAVAT PAPRIKAT, HAKITUD (VÕIB KA OLLA KUIVATATUD!)
- MERESOOLA
- 5 KESKMIST TOMATIT, KOORITUD, SEEMNED EEMALDATUD, HAKITUD
- 400 G PAELLARIISI
- 1,3 L KALA- VÕI KÖÖGIVILJA-PULJONGIT + 1 SPL TOMATIPASTAT
- 600 G ERINEVAID MEREANDE – KREVETTE, MERIKARPE KOOS KARPIDEGA, KALAMARJA, TIGUSID VMS
- 500 G VALGET KALA KUUBIKUTENA
- 1 KL ROHELISI HERNEID (VÕI UBE)
- 3 SPL PULJONGIT, SEGATUD 0,5 SPL SAFRANIGA
- 0,5 SIDRUNI MAHL (VÕIB ÄRA JÄTTA)
- 3–4 SPL HAKITUD PETERSELLI JA/VÕI KORIANDRIT
- 12 VIILU SIDRUNIT KAUNISTAMISEKS (UMBES 1 SIDRUN)

Esimeselt reisilt Hispaaniasse, 1990ndate alguse Barcelonasse, on mulle mällu jäänud kolm siiani eriti hispaanialiku-kataloonialikuna tunduvat märksõna: *paella, rosado ja Gaudí.* Navarra roosad veinid koos mereanni-paellaga moodustavad sellise maitsekombinatsiooni, mida pole kusagil mujal maailmas. Selliseid maju, nagu projekteeris katalaani arhitekt Antonio Gaudí (1852–1926), pole olnud enne teda ega tule ka pärast. Sagrada Familia* kirjeldamiseks napib sõnadest, seda peab ise nägema. Hiljem Barcelonasse sattudes olen alati käinud Picasso muuseumis ja Gaudí hoonetes. Neid kordi on olnud mitmeid, ent alati avastan midagi ennenägematut nagu muinasjutus. Siinne paella retsept on pärit Movida restorani *chef*'i Frank Camorra varamust.

. . .

Pane paellapann madalale tulele, aseta küüslaugupea panni keskele ja kalla oliiviõliga üle. Lisa hakitud sibul ja tüümian, hauta 5 minutit. Lisa punane ja roheline pipar, maitsesta soolaga. Keeda 10 minutit. Lisa tomatid ja hauta mõni minut, siis lisa riis ja hauta veel paar minutit. Kalla juurde tomatipastaga segatud kalapuljong. Lisa kalamari, kalakuubikud ja safranipuljong ning sidrunimahl. Kõige peale pane krevetid, teod, karbid. Kui kasutad värskeid karpe, siis nad on valmis, kui oma kaaned lahti teevad. Hauta väga madalal tulel, kuni riis on pehme ja karbid avanenud. Lõpuks kata kaanega umbes 5 minutiks. Seejärel puista üle värske peterselli/koriandriga ja jäta 10 minutiks pabersalvrätikute alla maitsestuma. Serveeri sidruniviiludega kaunistatult otse pannilt. Ja muidugi aitavad nautimisele kaasa päike ja *rosado.*

☛ Kellele meeldib teravus ja liha, võib koos kalaga lisada hispaania vürtsika vorsti *chorizo* õhukesi viile.

☛ Kui safranit pole, sobib seda asendama idamaine kurkum, mida on ka meie poodides saada. Kuid ilusa kollase värvi annavad ka kodumaise peiulille ehk tagetese õied. Neid võib panna nii toidu sisse kui ka peale kaunistuseks.

* *Sagrada Familia on Barcelonas asuv roomakatoliku kirik, mis kuulub UNESCO maailmapärandi nimistusse ning mida peetakse Antonio Gaudí tähtteoseks.*

Paella di marisco à la Barcelona or Barcelona-style seafood paella

I still remember three keywords that seem typical of Spain and Catalonia – paella, *rosado* and Gaudi – from my first trip to Spain, at the beginning of the 90s. Navarra rosé wines with seafood paella comprise a taste combination you won't find anywhere else in the world. Houses similar to those created by Catalonian architect Antonio Gaudí (1852–1926) have never existed before, and will never be created again. Words do no suffice for describing Sagrada Familia*, one must see it for oneself. Now, whenever I've been in Barcelona, I've always visited the Picasso Museum and the Gaudi buildings. I have been there many times, but I always discover something new and extraordinary, like in a fairy tale. This paella recipe comes from the treasury of chef Frank Camorra, of the Movida Restaurant.

. . .

Serves 4

LARGE PAELLA PAN, 45 CM IN DIAMETER

1	BULB OF GARLIC
½ CUP	EXTRA-VIRGIN OLIVE OIL
2	ONIONS, CHOPPED
10	SPRIGS OF THYME
1–2	HOT RED PEPPERS, CHOPPED
1–2	HOT GREEN PEPPERS, CHOPPED (MAY BE DRIED!)
GROUND SEA SALT	
5	MEDIUM TOMATOES, PEELED, WITH THE SEEDS REMOVED, CHOPPED
400 G	PAELLA RICE
1.3 LITRES	OF FISH OR VEGETABLE BOUILLON + 1 TBSP TOMATO PASTE
600 G	VARIOUS SEAFOOD – PRAWNS, MUSSELS OR SMALL CLAMS WITH SHELLS, SQUID, SEA SNAILS, ETC.
500 G	WHITE FISH, CUBED
1 CUP	GREEN PEAS (OR BEANS)
3 TBSP	BOUILLON MIXED WITH ½ TBSP SAFFRON
FRESHLY	SQUEEZED JUICE OF ½ LEMON (OPTIONAL)
3–4 TBSP	CHOPPED PARSLEY AND/OR CORIANDER
12	LEMON SLICES FOR GARNISHING (ABOUT 1 LEMON)

Put the paella pan on low heat; place the whole bulb of garlic in the middle of the pan and pour the olive oil over it. Add the chopped onion and thyme. Simmer for 5 minutes. Add the red and green peppers. Season with salt. Cook for 10 minutes. Add the tomatoes and simmer a few minutes longer. Add the rice and simmer for a few more minutes. Pour on the fish bouillon, mixed with tomato paste. Add squid, fish cubes, saffron, and lemon juice to the bouillon. Place the shrimp, sea snails, clams and mussels on top. If you are using fresh mussels, they will be cooked when they open their shells. Simmer on low heat, until the rice is soft, and the mussels have opened. Finally, place the cover on for about 5 minutes. Then sprinkle with fresh parsley/coriander, and cover with a paper napkin for 10 minutes to let the various flavours blend together. Serve, garnished with lemon slices, right from the pan. Of course, your enjoyment will be increased by sunshine and *rosado* wine.

☞ For those who like spicy food and meat, along with the fish, you can also add thin slices of chorizo, a spicy Spanish sausage.

☞ If you don't have saffron, substitute turmeric, which is available in our stores. However, you can also achieve a beautiful yellow colour by using the blossoms of the familiar marigold. They can be put into the dish or used to garnish it.

* *Sagrada Familia is a Roman Catholic church in Barcelona, which is on the UNESCO World Heritage List, and which is considered to be Antonio Gaudi's greatest masterpiece.*

Süda-Euroopa köök
Cuisine from the heart of Europe

Euroopa südames elavate inimeste köögikunstis on märgata mõjutusi nii Venemaalt, Saksamaalt kui Vahemere maadelt. Seal leidub maailmakuulsaid Austria ja Ungari küpsetisi, aga ka mitmeid maitseid, mille tähetund on alles ees. Islandi tuhapilve tõttu ette võetud automatk Krakówi ümbruse maalilistel maastikel ei lähe meelest. Seal avastatud uutmoodi maitsed samuti. Poola köögi võlud on olnud maailma gurmaanidele veel hästi hoitud saladus…

The culinary arts of the people living in the heart of Europe are noticeably influenced by the cuisines of Russia, Germany and the Mediterranean countries. Here, one finds the world-famous baked delicacies of Austria and Hungary, but also many tastes that are yet to be discovered by the wider public. I will never forget the car journey through the picturesque landscapes in the Cracow area, which we undertook because of Iceland's ash cloud, with the new tastes we discovered there. The charms of Polish cuisine are still a well-kept secret even for the world's gourmets…

Austria

Austrias elab keskmiselt 101 inimest ühel ruutkilomeetril, kokku pisut üle 8 miljoni.

Austerlastel on palju roogasid, mida eesti köögiski omaseks peetakse – liha, köögivili ja kartulid on toeka põhiroana ikka au sees. Viini ajaloolised kohvikud ahvatlevad aga suurepäraste kookide ja magustoitudega ning Austrias põgusalt viibiv külaline ei jõua ilmaski ka kõiki nende soolaseid hõrgutisi ära maitsta. Loomulikult on kõik pakutav keiserlikult rikkalik ja ülimaitsev. Kunagise hiigelimpeeriumi hiilgus ei kustu, vähemasti Viini kohvikutes on see siiani ehedana alles ja erakordselt elus. Et aga soolasest toidust austriapärane saada, sobiks proovida hapukoore, mädarõika, tilli ja vürtspipra koostoimet. *Guten Appetit!*

Austria

In Austria, there is an average of 101 people per square kilometre, for a total population of slightly over 8 million.

The Austrians have many dishes that are also typical of Estonian cuisine – meats, vegetables and potatoes – which are very much appreciated as substantial main courses. However, Vienna's historical cafés entice us with marvellous cakes and desserts, and short-term visitors to Austria will never have time to taste all their savory delicacies. Naturally, everything that is served is imperially rich and extremely tasty. The past splendour of the giant empire has not been extinguished – at least in the cafés of Vienna, it is still authentically alive and well. To add an Austrian flavour to your food, try combining sour cream, horseradish, dill and hot pepper. *Guten Appetit!*

Tafelspitz elik austerlaste rahvussupp

Tafelspitz'i retsepti pistis mulle Tartus Maamessil pihku meie oma *gourmet'* guru Dmitri Demjanov. „Kõige tähtsam on kvaliteetne tooraine," rõhutas ta kõigi superkokkade mantrat ja kiitis Liivimaa Lihaveise liha. „Veis peab rohtu sööma, siis on tema liha tervislik. Teraviljaga nuumamisel muutub küllastatud ja küllastamata rasvhapete suhe ebatervislike rasvade kasuks," jätkas tipp-kokk, pakkudes rõõmsalt presidendile omaenda leiutatud tervislikku kiirtoitu „Lämmi pini" (*hot dog*'i võrokeelne vaste). „Ja veel – vali õige lõige, erinevad lihakeha osad maitsevad ja alluvad kokale erineval moel!" lisas ta liha valmistamise ühe olulisema põhitõe.

. . .

Kuule

SUPP

- 1 KG ROHUTOIDULISE LIHAVEISE LAAGERDUNUD PÄHKLI- VÕI RISTLUUTÜKKI
- 1 KG SUPIKONTE
- PORGAND, VARSSELLER, JUURSELLER
- 2 SIBULAT
- ROHELIST SIBULAT
- 1,5 L VETT
- MERESOOLA
- MURULAUKU
- MUSTA TERAPIPART, LOORBERILEHT

KASTE

- 6 SPL HAPUKOORT
- 2 SPL VALGE VEINI ÄÄDIKAT
- 1 SPL HEAD KÜLMPRESS-TAIMEÕLI
- 1 ÕUN, RIIVITUD
- 1 SPL MÄDARÕIGAST

Pane kondid ja liha terve tükina vette 2 tunniks keema. Eemalda vaht. Lõika sibul pooleks ja prae pannil pruuniks ning lisa puljongisse (võid ka koore peale jätta). Pane juurde ka terved juurikad, pipar, sool ja loorber ning keeda veel tunnike. Võta liha välja ja lõika viiludeks. Kurna puljong ja lisa lihale. Raputa peale murulauk. Võid lisada ka värskelt riivitud mädarõigast ja/või värsket hakitud valget sibulat.

Juurde sobib õuna-mädarõikakaste. Selleks sega kõik komponendid kokku ja lase külmikus taheneda. Serveerimisel võid tõsta kastet lusikaga lihale või panna hoopis leivaviilule. Naudi – eriti sobilik külma ja vihmaga!

Tafelspitz or Austrian national soup

The recipe for *Tafelspitz* was given to me by our very own gourmet guru, Dmitri Demjanov, at the Country Fair in Tartu. "Good-quality raw ingredients are most important," he emphasised the mantra of all super chefs, and praised the quality of Liivimaa Beef Cattle. "Cattle must be grass-fed. Then their meat will be healthy. If cattle are fattened with grain, the relationship between saturated and unsaturated fats shifts toward the unhealthy fats," the top chef continued, as he offered the president the healthy fast food he had invented -- *Lämmi pini* (the equivalent of a hot dog in the Võro dialect). "And, what's more – choose the right cut. Different cuts taste different and submit to the cook differently!" he added, as one of the most important truths.

. . .

FOR THE SOUP

- 1 KG AGED, GRASS-FED BEEF ROUND ROAST
- 1 KG SOUP BONES
- CARROT, CELERY, CELERIAC
- 2 ONIONS
- GREEN ONION
- 1½ LITRES WATER
- SEA SALT
- CHIVES
- BLACK PEPPERCORNS, BAY LEAF

FOR THE SAUCE

- 6 TBSP SOUR CREAM
- 2 TBSP WHITE WINE VINEGAR
- 1 TBSP GOOD-QUALITY COLD-PRESSED OLIVE OIL
- 1 APPLE, GRATED
- 1 TBSP HORSERADISH

Put the bones and the whole piece of beef in the water, and cook for 2 hours. Skim the foam. Cut the onion in half, and fry until brown. Add to the bouillon (you can leave the skin on). Add the whole vegetables, pepper, salt and bay leaf. Cook for another hour. Take out the meat, and slice. Strain the bouillon, and add the meat. Sprinkle on the chives. You can also add freshly grated horseradish and/or freshly chopped white onion.

Serve with the grated apple and horseradish sauce. Mix all the ingredients together, and let it set in the refrigerator. You can spoon it on the meat, or put it on a slice of bread. Enjoy – great when it's cold and rainy outside!

Kaizerschmarrn elik imperaatori pannkoogid elik lihtsalt smarni

Kui miski peab untsu minema, siis ta ka läheb. Ent vahel sünnib sellest hoopis midagi uut ja enneolematut. Täpselt nii juhtus kokaga, kes valmistas keiser Franz Joseph I-le (1830–1916) ja tema abikaasale Sisile (Baieri Elisabethile) meelepärast kerget desserti. Paraku läksid õhulised pannkoogid untsu, ent nagu legend räägib, oli keisri pere, eriti aga saledat joont hoidev keisrinna, vaimustuses. Nii sündis tänapäeva Austria üks tuntumaid magustoite, mis enam nii kerge ei tundugi, ent tollaste kreemikookidega võrreldes on tegu siiski peaaegu õhuga. Meie pere vaieldamatult oodatuim pühapäevahommikune õndsus – avastatud Viini legendaarsest kohvikust Café Centrale.

. . .

Ahegiale

5 MUNA
5 SPL SUHKRUT
100 ML RÕÕSKA KOORT (SOBIB NII 35%, 10% KUI KA TALUPIIM)
3,5 SPL NISUJAHU
NÄPUGA SOOLA
VANILLI VÕI TILK VANA TALLINNAT (SOOVI KORRAL)
PEOTÄIS HELEDAS RUMMIS LEOTATUD ROSINAID (LASTE PUHUL LOOBU SELLEST)
KÜPSETAMISEKS HEAD TALUVÕID VÕI *GHEE*'D (SELITATUD VÕID)

Klopi munakollased suhkruga tihedaks vahuks, eraldi vahusta munavalged. Sega koor munakollaste hulka, lisa vanill või veidi Vana Tallinnat ja nõrista kergelt segades munavalgevahu sisse. Sõelu juurde jahu ja lõpuks sega ettevaatlikult hulka leotatud rosinad. Sulata või pannil ja pane kulbiga panni keskele kohev hunnik. Mõne minuti pärast, kui kook on alt helepruun, hakka seda puukahvli ja pannilabidaga pöörama. Katkiminek käib asja juurde. Sa pead tükke võis mitu korda küljelt küljele pöörama, kuumus peaks olema keskmine või pigem madal ja sinu näpud kiired. Ülearu küpsetamisel läheb kook nätskeks, aga toores pole ka hea. Iga tükk peab olema õhku täis nagu uhke keiserlik puudel. Ära unusta, et ka imperaatori kokal läks see roog aia taha! Et tulemus näeb välja nagu suuretükiline magus omlett, on hiilgava maitse kõrval selle roa võlu.

☛ Vahukoor annab sellele roale siiski kõige õigema, ühtaegu siidja ja sametise, sulava ja õhulise oleku.

☛ Või peab olema parim, muidu läheb see kõrbema või hakkab pritsima. Mina kasutan Nopri ja E-Piima võid.

Kaizerschmarrn or the Emperor's pancakes or just *smarni*

If something can go wrong, it will. However, sometimes, something new and unexpected happens instead. This is exactly what happened to the chef who was preparing a delightful light dessert for Emperor Franz Joseph I (1830–1916) and his wife, Elizabeth of Bavaria. Unfortunately, the airy pancakes went awry, but, according to legend, the emperor's family, especially his wife, who was very figure-conscious, was delighted. Thus, one of Austria's most famous desserts was born. The dish does not seem all that light today, but compared to the creamy cakes popular at the time, it is almost as light as air. Undisputedly, the most anticipated Sunday morning treat in our family – discovered at Vienna's legendary Café Centrale.

. . .

Serves 4

- 5 EGGS
- 5 TBSP SUGAR
- 100 ML SWEET CREAM (BOTH 35%, 10% AND FARMER'S MILK IS SUITABLE)
- 3½ TBSP WHEAT FLOUR
- PINCH OF SALT
- VANILLA OR A DROP OF VANA TALLINN LIQUEUR (OPTIONAL)
- HANDFUL OF RAISINS SOAKED IN WHITE RUM (OMIT WHEN MAKING THEM FOR CHILDREN)
- GOOD FARMER'S BUTTER OR GHEE (CLARIFIED BUTTER) FOR PAN-FRYING

Whip the egg yolks and sugar into a thick foam. Separately, whip the egg whites. Stir the cream into the egg yolks. Add the vanilla, or a drop of Vana Tallinn liqueur, and dribble the mixture into the egg white foam, while stirring. Sift in the flour, and finally, carefully stir in the soaked raisins. Melt the butter in a pan, and put a ladleful of fluffy batter in the middle of the pan. After a few minutes, when the bottom of the pancake is light brown, flip it over with the help of a wooden fork and spatula. If it breaks that's just part of the process. You have to flip the pieces several times. The heat should be medium, or even low, and your fingers must be quick. If you cook the pieces of the pancake too long, they will become soggy, but undercooking them is also not good. Each piece must be filled with air, like a proud imperial poodle. Do forget that the imperial chef made a mess of this dish! The fact that it looks like a chunky sweet omelette is one of its attractions, along with the wonderful taste.

☞ Whipping cream gives this dish the best texture – a quality that is silky and velvety, as well as melting and airy.

☞ The butter must be the best; otherwise it will scorch and start to spatter. I use Nopri and E-Piim butter.

Ungari

Ungaris elab üle 10 miljoni inimese, ühe ruutkilomeetri kohta keskmiselt 107 elanikku.

Austria ja Ungari on olnud läbi ajaloo kuulsad oma kohvikute poolest. Näiteks 1848. aasta revolutsiooni sünnipaigaks peetakse just üht Ungari kohvikut. Budapestis asuv legendaarne New York on aga asutamise ajast saadik kirjanike ja kunstnike kohtumispaigaks olnud. See kohvik võõrustab oma erilise vaimsuse ning suursuguse iluga veel tänagi külastajaid kõikjalt maailmast. Ent mida seal pakutakse? Rikkalike lõuna- ja õhtusöögimenüüde kõrval on tõmbenumbriks küpsetised. Ilma struudlit maitsmata ei soovita Budapestist küll kellelgi lahkuda. Kui eaka frakis kelneri käest struudli maitse saladust küsisin, oli vastus esmapilgul lihtne: ehe searasv ja või. Aga kui ta hakkas seletama, kuidas see tainas just sellise konsistentsi saavutab, mõtlesin, et enne läheb issanda päike looja, kui mina selle selgeks saan. Tainas rullitavat sedavõrd õhukeseks, et kuklisuurusest kuulist saavat nii suur tükk, et sellesse saab mähkida husaari tükkis hobusega! Aga kui sa oma toitudele ungaripärast maitset tahad anda, kasuta sibula-paprika-rasva kombinatsiooni. *Jó étvágyat!*

Hungary

Over 10 million people live in Hungary – an average of 107 residents per square kilometre.

Throughout history, Austria and Hungary have been famous for their cafés. For instance, one Hungarian café is considered to be the birthplace of the 1848 Revolution. However, the legendary New York Café in Budapest has been a meeting place for writers and artists since its founding. Even today, the New York Café welcomes guests from around the world, with its special atmosphere and majestic beauty. However, what do they serve there? Along with generous lunch and dinner menus, one of the attractions is the baked goods. I would not recommend that anyone leave Budapest without tasting strudel. When I asked the elderly waiter, who was wearing tails, what the secret of strudel was, the answer seemed simple at first – authentic pork lard and butter. But, when he started to explain how to achieve the consistency of the dough, I thought I will depart this world before I learn how to do this. The dough is rolled out so thin that a small bun-sized ball becomes such a large sheet of dough that you could wrap a hussar, along with his horse, into it! If you want to give your food a Hungarian flavour, use a combination of onion, paprika and pork lard. *Jó étvágyat!*

Lecsó elik letšo

Meil tavatsetakse letšoks nimetada kõiksugu eripalgelisi segusid. Ungarisse sattudes pärisin, mis selle toreda kastme või salati või möksi tegelik madjaripärane olemus võiks olla. Sain retsepti, proovisin järele ning just see hoidis – ehtne ungari letšo – kadus Ärma keldri riiulitelt kõige esimesena.

. . .

1 KG PAPRIKAID, RÕNGASTEKS LÕIGATUD
500 G TOMATEID, HAKITUD
2 SUURT KÜÜSLAUGUKÜÜNT, PEENEKS HAKITUD
2 SIBULAT, HAKITUD
4 SPL ÕLI
1 KUHJAGA SPL PAPRIKAPULBRIT
MERESOOLA
PRUUNI SUHKRUT
JAHVATATUD KORIANDRIT

Kuumuta sibul ja küüslauk madalal kuumusel õlis klaasjaks. Võta tulelt, sega sisse paprikapulber, sool, koriander ja paprikarõngad, kata kaanega, hauta 10 minutit, lisa tomatid, hauta, kuni on pehme. Pane kuuma purki või serveeri värske hakitud koriandriga. Sobib iga liha juurde, aga sünnib ka niisama lusikaga maiustada!

Lecsó

Lecsó

Lecsó or lecho

In Estonia, all kinds of different mixtures are called lecho. When I was in Hungary, I asked what the real Magyar-style version of this wonderful sauce, salad or thick mixture might be. I received a recipe, and tried preparing it; now, this preserve – authentic Hungarian lecho – is what disappears first from the shelves of the food cellar at Ärma Farm.

. . .

Heat the onion and garlic in oil on low heat until glazed. Remove from the heat, and stir in the powdered paprika, salt, coriander and pepper rings. Cover and simmer for 10 minutes. Add the tomatoes, and simmer until soft. Put them in a hot canning jar, and serve with freshly ground coriander. A great addition to any meat dish, but can also be eaten with a spoon!

1 KG BELL PEPPERS, CUT INTO RINGS
500 G TOMATOES, CHOPPED
2 LARGE CLOVES OF GARLIC, FINELY CHOPPED
2 ONIONS, CHOPPED
4 TBSP OIL
1 HEAPING TBSP OF POWDERED PAPRIKA
GROUND SEA SALT
BROWN SUGAR
GROUND CORIANDER

Diós és mákos beigli
elik mooni- ja pähklirullid

24-le

TAINAS (TULEB 4 RULLI)

1 TL HELEDAT SUHKRUT
120 ML PIIMA
15 G VÄRSKET PÄRMI (VÕI 1 PAKK KUIVPÄRMI)
50 G TUHKSUHKRUT
500 G JAHU
100 G VÕID
100 G SEARASVA
2 MUNA
1 TL RIIVITUD SIDRUNIKOORT
MERESOOLA
VANILLSUHKRUT

PÄHKLITÄIDIS (2 RULLILE)

100 ML PIIMA
100 G TUHKSUHKRUT
VANILLSUHKRUT (VÕI 1 VANILLIKAUN)
0,5 TL RIIVITUD SIDRUNIKOORT
3 SPL ROSINAID
KANEELI
250 G KREEKA VÕI PISTAATSIA-PÄHKLEID, JAHVATATUD
3–4 SPL METT (VÕI 1–2 ÕUNA, ÕUNAMOOSI)

MOONISEEMNETÄIDIS (2 RULLILE)

100 ML PIIMA
250 G TUHKSUHKRUT
VANILLSUHKRUT (VÕI 1 VANILLIKAUN)
250 G MOONISEEMNEID
3 SPL ROSINAID
1 TL RIIVITUD SIDRUNIKOORT
4 SPL METT

LISAKS:

PANNI MÄÄRIMISEKS VÕID VÕI RASVA
GLASEERIMISEKS ÜKS MUNAKOLLANE

Ehtsa struudli tegemise ees tõstab tänapäeva kiirustav ja moodne gurmaan lihtsalt käed üles, aga proovida võib teist Budapesti kohviku New York kuulsatelt kondiitritelt pärit retsepti. Väidetavalt ei möödu ungarlasel selle toiduta ükski aastalõpp.

. . .

Tainaks lahusta suhkur toasoojas piimas, lisa pärm. Sega hulka ülejäänud ained ja sõtku hoolega, kuni tainas käe küljest lahti tuleb ja läikivaks muutub. See võib võtta 15 minutit või kauemgi. Jäta tainas pooleks tunniks sooja kohta rätiku alla kerkima.

Pähklitäidise jaoks lase piim koos suhkru ja vanilliga kastmepannil keema tõusta. Lisa sidrunikoor, rosinad, kaneel, pähklid ja mesi (või kooritud ja riivitud õunad). Hauta natuke ja tõsta kõrvale – las vanillikaun jääb tervena sinna tukkuma.

Moonitäidise jaoks sega piim tuhksuhkru ja vanilliga, lase keema ja sega sisse mooniseemned ning rosinad. Pidevalt segades keeda segu mõned minutid, tõsta tulelt ja sega sisse sidrunikoor ja mesi. Jäta jahtuma.

Jaga tainas neljaks ja rulli iga osa umbes 30 × 35 cm plaadiks. Määri plaadid täidisega ning rulli pikkupidi kokku (nagu rullbiskviiti). Tulemuseks peaks olema neli toekat ja tihedat rulli.

Tõsta rullid määritud pannile ja pintselda munakollasega. Küpseta 170 °C juures kuldpruuniks. Lase täiesti maha jahtuda ahjus. Kaetuna säilivad külmas ja kuivas väga kaua värskena. Viiluta vahetult enne serveerimist. Lao kenasti katusekividena vaagnale ja raputa üle tuhksuhkruga. Kui teed neid jõuludeks, on sul värske magus uue aastani olemas. Mahlakas, rammus ja musimagus!

Diós és mákos beigli or poppy and nut rolls

24 rolls

Today's hurried and modern gourmet simply gives up if confronted with the prospect of having to prepare genuine strudel. However, you could try another recipe given to me by the famous pastry chefs at Budapest's New York Café. Supposedly, these rolls are never missing from a Hungarian New Year's Eve celebration.

. . .

DOUGH (MAKES 4 ROLLS)

1 TSP WHITE SUGAR
120 ML MILK
15 G FRESH YEAST (OR 1 PACKAGE OF DRY YEAST)
50 G POWDERED SUGAR
500 G FLOUR
100 G BUTTER
100 G PORK LARD
2 EGGS
1 TSP OF LEMON ZEST
GROUND SEA SALT
VANILLA SUGAR

NUT FILLING (2 ROLLS)

100 ML MILK
100 G SUPER FINE POWDERED SUGAR
VANILLA SUGAR OR 1 VANILLA BEAN
½ TSP OF LEMON ZEST
3 TBSP RAISINS
CINNAMON
250 G WALNUTS OR PISTACHIO NUTS, GROUND
3–4 TBSP HONEY (OR 1–2 APPLES, APPLE SAUCE)

POPPY SEED FILLING (2 ROLLS)

100 ML MILK
250 G POWDERED SUGAR
VANILLA SUGAR OR 1 VANILLA BEAN
250 G POPPY SEEDS
3 TBSP RAISINS
1 TSP LEMON ZEST
4 TBSP HONEY

ALSO

BUTTER OR LARD FOR GREASING THE BAKING PAN
ONE EGG YOLK FOR GLAZING

For the dough, dissolve the sugar in room-temperature milk. Add the yeast. Mix in the remaining ingredients, and knead carefully until the dough comes loose from your hands, and it becomes shiny. This can take 15 minutes or longer. Cover the dough with a towel, and set aside in a warm place to rise.

For the nut filling, bring the milk, with the sugar and vanilla, to a boil in a saucepan. Add the lemon zest, raisins, cinnamon, nuts and honey (or peeled and grated apples). Simmer a bit, and set aside – let the whole vanilla bean take a nap there.

For the poppy filling, mix the milk with the powdered sugar and vanilla. Bring to a boil, and stir in the poppy seeds and raisins. Let it boil for a few minutes, while stirring constantly. Remove from the heat, and mix in the lemon zest and honey. Set aside to cool.

Divide the dough into four pieces, and roll each piece into a sheet that is about 30 × 35 cm. Brush the sheets with the filling, and roll it lengthwise (like a jelly roll). You should get four solid and dense rolls.

Lift the rolls onto the greased pan, and brush with egg yolk. Bake until golden brown, at 170 °C. Leave in the oven until it is totally cooled. If covered, will remain fresh for a long time when stored in a cold and dry place. Slice immediately before serving. Place the slices on a platter, like roof tiles, and sprinkle with powdered sugar. If you make them for Christmas, you will have fresh sweets until the New Year. Juicy, rich and as sweet as a kiss!

Poola

Poolas elab ühel ruutkilomeetril keskmiselt 121 inimest, ühtekokku aga üle 38 miljoni.

Poola on oma 38 miljoni elanikuga Euroopa mõistes tõeline suurriik. Ajalugu on talle ohtralt kannatusi jaganud, ent kindlasti on selle uhke ja väärika riigi hiilgeajad alles ees. Võimsat arengut, mitmekesisust ning eripalgelist ilu kohtab Poolas igal sammul. Nende lossid ja maitsed on aga veel paljudele avastamata muinasmaa. Paistab, et poolakad armastavad hapukoort nagu meiegi, ja kui lähemalt uurida Põhja- ja Ida-Euroopa köögi maitsete anatoomiat, leiabki sealt hapukoore, tilli ja vürtspipra (pimendi) mõnusa koosluse. *Smacznego!*

Poland

In Poland, an average of 121 people lives per square kilometre, for a total population of over 38 million.

Poland, with its 38 million residents, is truly a major power in the European context. History has served up a lot of tribulations, but the glory days of this proud and dignified country are definitely still ahead. In Poland, you encounter vigorous development, diversity and varied beauty at every step. However, their palaces and tastes are still an undiscovered fairytale land for many people. It seems that Poles love sour cream, just like we do, and if we examine the anatomy of the flavours in Northern and Eastern Europe, we find a delectable combination of sour cream, dill with allspice. *Smacznego!*

Żurek elik hapu rukkikalja supp

„*Żurek*'it tasub kindlasti proovida – ikkagi kõige kuulsam Poola supp," soovitas meie suursaadik Poolas Taavi Toom*. Islandi vulkaani Eyjafjallajökulli „tellitud" reis oli meid just Poola veeretanud. Wyszkówis asuv restoran Gościniec pod Jesionami, tõlkes Võõrastemaja Saare All, tundus kodune ja õdus. Perenaine oli meie paarikümnepealisele seltskonnale kõigest pooleteisetunnise etteteatamisega kolmekäigulise lõuna valmistanud. Üks näitsik suutis aga üksinda ära teenindada nii meie delegatsiooni kui ka meie poolakatest julgestusmeeskonna. Ta tegi seda kiirelt ja sõbralikult, ise jooksu pealt seletades, mida need hääldamatute nimedega poola toidud endast tegelikult kujutavad. Hiljem täiendasin saadud *żurek*'i retsepti internetist poolakate kulinaariainstituudi looja *chef* Mark Widomski soovitustega ja nii seda meie mail tegema hakatigi. Kohalik kokk aga sosistas politseinikele, et *żurek* olevat maailma parim hommikusöök pärast õhtust liigpikka pidu.

. . .

Żurek

HAPU RUKKIKALI

- ¾ KL RUKKIJAHU
- 2 KL KEEDETUD JA JAHUTATUD VETT

SUPP

- 250 G KOORITUD JA HAKITUD KÖÖGIVILJU (PORGAND, SELLERI JUUR, PASTINAAK, PORRU)
- 6 KL VETT
- 250 G VALGEID VORSTE (POOLAKAD KASUTAVAD *KIEŁBASA BIAŁAT**)
- 450 G KARTULEID, KOORITUD JA TÜKELDATUD (VÕIB ÄRA JÄTTA)
- 2 KL HAPUT RUKKIKALJA (VT ÜLAL)
- 1 KUHJAGA SPL JAHU SEGATUNA 4 SPL VEEGA
- 2 KÜÜSLAUGUKÜÜNT, PURUSTATUD KOOS 0,5 TL MERESOOLAGA
- 3 SUURT KÕVAKS KEEDETUD MUNA (VÕIB ÄRA JÄTTA)
- HAKITUD MAITSEROHELIST KAUNISTAMISEKS

Hapu rukkikalja jaoks sega jahu käesooja veega ja kalla purki või klaaskaussi, kata toidukilega ja jäta sooja kohta 4–5 päevaks hapnema. Tekkib fermenteerunud vedelik, nn hapu rukkikali, mis on väga tervislik! Siinsest kogusest jätkub parasjagu selle retsepti supile.

Supiks aja potis vesi keema, pane sinna supijuurikad, hauta madalal kuumusel pool tundi. Lisa vorstid, aja uuesti keema, alanda kuumus ja hauta veel pool tundi. Õngitse vorstid supist välja, lõika viiludeks ja jäta ootele. Kurna puljong läbi peene sõela, pigista köögiviljadest viimanegi maitse välja! Koori puljongilt rasv ja pane puljong uuesti potti. Nüüd lisa kartulid ja rukkikali, aja keema, alanda kuumus ja hauta, kuni kartulid on *al dente*. Vispliga segades nõrista supi sisse jahu ja vee segu, küüslaugusoola pasta ja vorstiviilud. Lase korraks keema, siis hauta madalal kuumusel, kuni kartul on pehme. Serveeri poolitatud keedumunaga ja värske rukkileivaga. Maitseb nagu vedel rukki-lihaleib, täitsa meie moodi.

☛ *Żurek*'it saad süüa viiendal päeval pärast valmistamist. Kuid kasutades hapendatud rukki asemel sooja veega tembitud kodust leivajuuretist, võid tulemust nautida päeva pärast!

---

* Kiełbasa biała *on valge suitsutamata sealihavorst. Valge jääb ta seetõttu, et nitriteid ei kasutata. Sakslaste vaste oleks* Weisswurst, *mis tehakse enamasti vasikalihast ja maitsestatakse ohtralt ürtidega.* Żurek'*isse sobivad mõlemad.*

* *Taavi Toom on Eesti suursaadik Poolas alates 2009. aasta oktoobrist.*

Żurek or sour rye kvass soup

"Żurek is definitely worth trying – after all, it's Poland's most famous soup," Taavi Toom* our ambassador in Poland recommended. The trip "booked" by Eyjafjallajökul, the Icelandic volcano, had just landed us in Poland. The Gościniec pod Jesionami Restaurant (translated means "under the guesthouse's island") in Wyszkow seemed homey and cosy. The lady of the house had prepared a three-course luncheon for our group of twenty or so people, with only an hour and a half's notice. Moreover, one young woman was able to serve both our delegation and the Polish security team accompanying us by her herself. She did so quickly and amicably, all the while explaining what the dishes, with the unpronounceable names, actually were. I later supplemented the *żurek* recipe via the Internet with recommendations from chef Mark Widomski, the founder of the Polish Culinary Institute, and that's how we started making it at home. And, by the way,, the local chef whispered to the security men that *żurek* is the best breakfast after a long night of partying.

. . .

Serves 6

SOUR RYE KVASS

- ¾ CUP RYE FLOUR
- 2 CUPS BOILED AND COOLED WATER

SOUP

- 250 G PEELED AND CHOPPED VEGETABLES (CARROT, CELERIAC, PARSNIP, LEEK)
- 6 CUPS OF WATER
- 250 G WHITE SAUSAGES (THE POLES USE *KIELBASA BIALA**)
- 450 G POTATOES, PEELED AND CHOPPED (OPTIONAL)
- 2 CUPS SOUR RYE KVASS (SEE ABOVE)
- 1 HEAPED TBSP OF FLOUR MIXED WITH 4 TBSP WATER
- 2 CLOVES OF GARLIC, CRUSHED WITH ½ TSP OF GROUND SEA SALT
- 3 LARGE HARDBOILED EGGS (OPTIONAL)
- CHOPPED HERBS FOR GARNISHING

For the sour rye kvass, mix the flour with lukewarm water. Pour the mixture into a jar or glass bowl, cover with plastic wrap and leave in a warm place to ferment for 4 or 5 days. The liquid that develops, so-called "sour rye kvass", is very healthy! This quantity will be sufficient for this soup.

To make the soup, heat the water in a pot, and add the vegetables. Simmer on low heat for half an hour. Add the sausages, and bring to a boil again. Reduce the heat, and simmer for another half an hour. Take the sausages out of the soup, slice and set aside. Strain the bouillon through a fine strainer, and squeeze all the good taste out of the vegetables! Skim the fat off the bouillon, and put the bouillon back in the pot. Now add the potatoes and rye kvass. Bring to a boil. Reduce the heat, and simmer, until the potatoes are al dente. Slowly add the flour and water mixture, garlic, salt paste and sausage slices into the soup, while stirring constantly with a whisk. Bring to a boil again, and simmer on low heat, until the potatoes are soft. Serve with halved boiled eggs and fresh rye bread. Tastes like a liquid rye-and-meat loaf – just like our country food.

☛ *Żurek* can be eaten on the fifth day after it is prepared. However, if you use homemade bread leavening diluted with warm water, instead of the sour rye kvass, you only have to wait one day to enjoy it!

* *Taavi Toom has been the Estonian Ambassador to Poland since October 2009.*

* Kielbasa biala *is a white unsmoked pork sausage. It is white because nitrites have not been added. The German equivalent would be* Weisswurst, *which is usually made from veal and seasoned abundantly with herbs. Both can be used in* żurek.

Koogelmoogel metsmaasikatega

Kui vastvalitud Poola president Bronisław Komorowski koos abikaasa Annaga meie talus Ärmal* hommikusööki nautis, läks jutt lapsepõlveaegsetele maitsetele. Selgus, et me mäletame ühtmoodi palju lihtsaid talupojatoitusid. Kliima on meil ju sarnane. Ent seda, et koogelmoogelit – meiegi tütre lemmikmagusat – saab ka metsmaasikatega nautida, polnud ma varem kuulnud. Palun väga, proua Anna lapsepõlve suvine maius!

. . .

Ühele

3 VÄRSKET MUNAKOLLAST
5 TL HELEDAT ROOSUHKRUT
3 TL METSMAASIKAID
SOOVI KORRAL TIBAKE VANILLSUHKRUT VÕI VANILLISEEMNEID
ISSI PORTSJONILE VÕID LISADA TILGAKESE KONJAKIT

Vahusta kausikeses munakollased suhkruga heledaks tihedaks vahuks. Sega hulka vanill ja 2 tl maasikaid. Kaunista 1 tl metsamarjadega ja naudi. Kõige ehedam on maiuse maitse, kui istud õues murul. Proovi järele, kas brüleekreem on üldse enam konkurentsivõimeline!

☛ Toore muna söömisel peab kindel olema selle kvaliteedis. Mina kasutan koogelmoogeli tegemisel naabrinaise kanamune, kui need on otsa saanud, siis ökomune. Riskida ei tasu!

* *Poola presidendipaar oli Ärmal külas töövisiidi käigus 28.03.2011.*

Kogel-mogel with wild strawberries

When Bronislaw Komorowski, the newly elected President of Poland, and his wife Anna, were enjoying their breakfast at Ärma Farm*, we started talking about childhood tastes. It turned out that we have similar memories of simple peasant foods. After all, our climates are similar. However, I had never heard that *kogel-mogel* – our daughter's favourite dessert – can also be enjoyed with wild strawberries. Here you are – a summer dessert from Mrs. Anna's childhood!

...

Serves one

3 FRESH EGG YOLKS
5 TSP WHITE ROSE SUGAR
3 TSP WILD STRAWBERRIES
IF YOU WISH, ADD A PINCH OF VANILLA SUGAR OR VANILLA SEEDS.
YOU CAN ADD A DROP OF COGNAC TO DAD'S PORTION.

Whip the egg yolks, with the sugar, in a small bowl, into a thick foam. Mix in the vanilla and 2 tsp of strawberries. Garnish with a teaspoon of wild berries and enjoy. You'll be able to enjoy the most authentic taste by sitting outside on the grass. Try it – is crème brûlée really any better?

☞ When eating raw eggs, you must be very sure of their quality. To make *kogel-mogel*, whenever possible I use eggs laid by the neighbour's chickens. Otherwise, organic eggs. It's not worth taking any risks!

* *The Polish presidential couple visited Ärma Farm on 28 March 2011, in the course of a working visit to Estonia.*

Venemaine

Venemaal elab 140 miljonit inimest, kuid ruumi on seal tõeliselt palju – ühe ruutkilomeetri kohta tuleb keskmiselt vaid 8 inimest.

Vene köök on rikkalik ja mitmepalgeline nagu vene hingki. Minu esimene uhke pidusöögi kogemus on pärit 1980. aastatest, kui isaga tema Peterburis elaval lastekirurgist sõbral külas käisime. Kuus paari lauahõbedat, neli kristallpokaali, terve kuhi peene maalinguga taldrikuid – kõik ühele sööjale. Ja minule ka! Rasked kuldsed tsaariaegsed küünlajalad ja luksuslikud diivanid ning magus-nukralt voogavad vene romansid manasid väikse tüdruku silmade ette pildi ühest hoopis teisest kultuurist kui see, mida rongiaknast näha oli. Ehtsad vene maitsed on meile tuttavad, üks toredatest kombinatsioonidest on hapukoore, küüslaugu ja äädika kooslus. *Приятного аппетита!*

Russian

Russia has a population of 140 million, but there is really lots of space – an average of only 8 people live per square kilometre.

Russian cuisine is rich and multifaceted, just like the Russian soul. My first sumptuous experience of a formal dinner dates back to the 1980s, when my father and I paid a visit to his friend, a paediatric surgeon who lived in St. Petersburg. Six sets of table silver, four crystal goblets, a whole stack of finely painted dishes – all for one diner. And for me too! Heavy, golden Tsarist candlesticks and luxurious sofas, as well as the flow of sweetly sad Russian romantic songs conjured up a picture before the eyes of a little girl of a culture that was totally different than the one she had seen from the train window. Authentic Russian tastes are familiar to us – one of the greatest combinations is sour cream, garlic and vinegar. *Приятного аппетита!*

Pelmeenid äädikapuljongis

Tamara on perenaisena hoolitsenud mitme presidendi pere ja eluolu eest Kadriorus. Ta oskab põnevaid vene roogasid valmistada ja temaga koos sain minagi oma pikka aega unistatud pelmeeniteo tehtud. Imestan ikka, et see polegi nii suur töö, nagu tulemuse järgi paistab. Tamara sõnul on selle juures kõige tähtsam asi hea hakkliha. „Osta ise sobivad tükid liha või lase turul oma silma all teha," soovitab ta. „Kui head hakkliha pole, siis ära võta pelmeenitegu ette." Ja korraga tasub teha palju, sest sügavkülmas säilivad nad värskena mitu kuud.

. . .

Kaheteistkümnele

TAINAS

1,5 KG	NISUJAHU
2	MUNA
3 TL	PEENT MERESOOLA
400 ML	PIIMA
400 ML	KÄESOOJA VETT

TÄIDIS

1,7 KG	HAKKLIHA (KLASSIKA ON LAMBA-, VEISE- JA SEALIHA SEGU)
5	SIBULAT, HÄSTI PEENEKS HAKITUD (UMBES 300 G)
5 TL	MERESOOLA
2 TL	VÄRSKELT JAHVATATUD MUSTA PIPART
3	KÜÜSLAUGUKÜÜNT, HÄSTI PEENESTATUD (SAAB KA ILMA)

Sega täidis hoolega läbi ja pane tunnikeseks külma. Tainaks sõelu kaussi jahu, pane keskele lohukesse munad ja sool ning hakka juurde valama vett ja piima. Alguses tundub tainas hirmus kuiv ja kõva, aga sõtkudes hakkab see tasahilju rõõmsalt läikima. Kui on tekkinud ilus sile tainamuna, jaga see 4–6 osaks – mida jaksad rullida – ja pane needki külma tunnikeseks-paariks tukkuma.

Kui hakkad rullima, tööta vaid ühe osaga. Teised jäta märja rätiku alla, sest tainas kuivab kiiresti. Ja rullida tuleb nobedalt! Rulli umbes 1–2 mm paksune leht ja lõika sellest joogiklaasiga ringid. Keera vastu lauda olnud külg ülespoole (kleepub paremini), keskele tõsta väikse lusikaga mummuke täidist ja murra pooleks. Vajuta näppudega servad kinni ning lõpuks keera nurgad omavahel kokku. Lao valmis pelmeenid ükshaaval külmutuskotti või -karpi ja pane sügavkülma.

Tamara naudib pelmeene puljongi-äädikakastmega. Selleks aja vesi keema, pane sinna maitseainekuubik või peenestatud värskeid ürte. Keevasse puljongisse libista ükshaaval nii palju pelmeene kui soovid, sega, et nad põhja ei kuhjuks. Valmimiseks kulub 9–10 minutit, valmis pelmeenid tõusevad pinnale.

Pärast pelmeenide väljatõstmist saad valmistada kastme. Selleks võta 3 spl keeduleent ja lisa 1 tl äädikat (näiteks valge veini äädikat). Võid juurde segada ka 1 spl maitsestamata jogurtit. Aga ka hapukoore või jogurti-murulaugukastmega on roog suurepärane!

☛ Võid ka mõnda muud liha kasutada. Meie pere lemmikpelmeenide sisse käib näiteks põdra- või metssealiha, ka vasikaliha on väga maitsev. Küülikut võid kanaga kokku panna. Ja lõhe- või tuurakalaga saad samuti ülimaitsva tulemuse.

☛ Sea- ja kanaliha teineteist ei armasta, ära neid kokku sega, soovitab Tamara.

Pelmeni in vinegar bouillon

As housekeeper, Tamara has cared for the families, and seen to the well-being, of several presidents at the official residence of the Estonian head of state in Kadriorg. Tamara also helped me to realise my long-time dream to make my own *pelmeni*. According to Tamara, the most important thing is the ground meat. “Buy a suitable piece of meat, and have it ground at the market, before your eyes,” she recommends.

. . .

Serves 12

DOUGH

1.5 KG	WHEAT FLOUR
2	EGGS
3 TSP	FINELY GROUND SEA SALT
400 ML	MILK
400 ML	LUKEWARM WATER

FILLING

1.7 KG	GROUND MEAT (A MIXTURE OF LAMB, BEEF AND PORK IS CLASSIC)
5	ONIONS, VERY FINELY CHOPPED (ABOUT 300 G)
5 TSP	GROUND SEA SALT
2 TSP	FRESHLY GROUND BLACK PEPPER
3	CLOVES OF GARLIC, FINELY GROUND (OPTIONAL)

Mix the filling thoroughly, and refrigerate for about an hour. For the dough, sift the flour into a bowl. Put the eggs and salt into a hollow in the middle of the flour. Start adding the water and milk. At first, the dough will seem very dry and hard, but as you knead it, it will slowly start to shine. Once a beautiful, smooth ball of dough has developed, divide it into 4 to 6 pieces – small enough for you to roll out – and put them into the cold, for a nap, for an hour or two.

When as you roll out the dough, work with one piece at time. Keep the rest under a wet towel to prevent the dough drying out. Roll the dough out quickly! Into a sheet that is about 1–2 mm thick. Using a drinking glass cut out disks of dough. Flip the disks over, so the side on the work surface is now on top (it will stick better). Use a small spoon to place a scoop of filling in the middle of the disk. Bend it in half, to form a half-moon. Press the edges together with your fingers. Then, with a twist, press the ends of the dumpling together. Place the cooked pelmeni into a freezer bag or box, and into the freezer.

Tamara enjoys pelmeni with a bouillon-vinegar sauce. To cook them, boil the water in a pot and add a seasoning cube, or fi nely chopped herbs. Then, one at a time, slip as many pelmeni as you like into the boiling water. Stir to keep them from heaping on the bottom. The pelmeni will be ready in about 9–10 minutes; when they rise to surface.

After you lift out the pelmeni, prepare the sauce -- take 3 tbsp of broth and add 1 tsp of vinegar (for instance, white wine vinegar). You can also mix in 1 tbsp of unflavoured yoghurt. But the dish is also wonderful with sour cream, or yoghurt, and chives!

☛ You can also use some other meat. Our family’s favourite *pelmeni* are made of elk and wild boar meat, but veal is also very tasty. You can also combine rabbit and chicken. And salmon and sturgeon will give you a very delicious result.

☛ Pork and chicken do not love each other – do not combine them, Tamara advises.

Pavlova koogid

Need on minu vaieldamatud lemmikmaiustused, mille valmistamine tundus varem liiga aeganõudev, et seda ette võtta. Kord teel Moskvast Hantõ-Mansiiskisse olime sunnitud Aerofloti lennuki pardal starti oodates ilma ventilatsioonita tund aega vastu pidama. Hapnikku jäi minut-minutilt vähemaks ja ärevus läks aina suuremaks. Sestap süvenesin paanika vältimiseks üle pea lennuki pardaajakirja ning sealt see Pavlova retsept pärinebki. Nii et – kannatuste kingitud maius. Palju kordi Ärma köögis järele proovitud, alati hiilgavalt õnnestunud. Rikkalik, peen ja õhuline nagu koogile nime andnud baleriingi.

. . .

Kaheteistkümnele

6 MUNAVALGET
4 DL VALGET PEENT SUHKRUT
1 SPL TÄRKLIST
1 TL VALGET VEINIÄÄDIKAT

KREEM

700 G MAASIKAID (METSMAASIKAD TEEVAD SELLE JUMALIKUKS!)
1 DL TUHKSUHKRUT
0,5 LAIMI VÄRSKELT PRESSITUD MAHL
2 SPL MARJALIKÖÖRI (NÄITEKS MAASIKA)
2 DL VAHUKOORT (VÕI *MASCARPONET*)
1 TL VANILLSUHKRUT

Vahusta toasoojad munavalged kõvaks vahuks, lisa pidevalt vahustades paari supilusika kaupa suhkrut; kui vaht hakkab läikima, lisa vahustades hulka tärklis ja äädikas. Tõsta paberiga kaetud plaadile pätsikesed, jäta vahed! Küpseta 150 °C juures 1,5–2 tundi; vaata, et liiga pruuniks ei lähe. Lülita kindlasti ahjus ringõhk välja!

Kreemiks püreeri 1/3 maasikaid. Vahusta koor tuhksuhkruga, lisa laimimahl, liköör, vanillsuhkur ja püreeritud maasikad. Ülejäänud maasikad sega hulka poolitatult, jäta osa ka kaunistamiseks. Võid peale lisada piparmündi- või melissilehti, saialilleõisi. Kata beseed kreemiga, kaunista ja serveeri kohe! Mmmmmmmmmm!

Pavlova cakes

These are, undoubtedly, my favourite confections. But, at one time, preparing them seemed too time-consuming. Once, on the way from Moscow to Khanty-Mansiysk, we were forced to sit for an hour aboard an unventilated Aeroflot plane waiting for takeoff. The oxygen was decreasing by the minute, while the anxiety was constantly increasing. Therefore, in order to avoid panic, I engrossed myself in the airline's inflight magazine, where I found this recipe for Pavlova cakes. Thus, a confectionary gift that resulted from hardship. Tried many times in the Ärma Farm kitchen, it has always succeeded splendidly. Rich, cultured and airy, just like the ballerina that gave the cake its name.

. . .

Serves 12

MERINGUE

6	EGG WHITES
4 DL	FINE WHITE SUGAR
1 TBSP	STARCH
1 TSP	WHITE WINE VINEGAR

CREAM

700 G	STRAWBERRIES (WILD STRAWBERRIES MAKE THIS HEAVENLY!)
1 DL	POWDERED SUGAR
FRESHLY	SQUEEZED JUICE OF 0.5 LIME
2 TBSP	BERRY LIQUEUR (FOR INSTANCE, STRAWBERRY)
2 DL	WHIPPING CREAM (OR MASCARPONE)
1 TSP	VANILLA SUGAR

Whip room-temperature egg whites into a stiff foam. Continue whipping, and add the sugar, one teaspoon at a time. When the foam starts to shine, whip in the starch and vinegar. Spoon small loaves onto a pan covered with baking paper. Leave spaces! Bake at 150 °C, for 1½ to 2 hours. Make sure they don't get too brown. Turn off the circulating air in the oven!

For the cream, purée ⅓ of the strawberries. Whip the whipping cream with the powdered sugar. Add the lime juice, liqueur, vanilla sugar and puréed strawberries. Halve the remaining strawberries and mix in, but save some for garnishing. You can also add peppermint or balm leaves, or marigold blossoms. Cover the meringue with cream, garnish and serve immediately! Mmmmmmmmmm!

Üle mere Iirimaale!

Iirimaal elab ligemale 4,5 miljonit inimest ja ühel ruutkilomeetril on neid keskmiselt 65,2. Suurem jagu iirlasi elab aga väljaspool kodumaad ja sestap leidub peaaegu igas maailma suuremas linnas iiri pubi, kus kõlab ehtne iiri muusika ja juuakse Guinnessi õlut.

Kui valmistusin esimest korda Iirimaale sõitma, hoiatas meie tollane saadik, et kuigi on suvi, tuleb soojalt riidesse panna. „Iirimaa ilm on nagu Eestis suvel: sajab ja keskmine temperatuur on +14 °C, ning nõnda aasta ringi," ütles ta. Mina teadsin Iirimaast vaid paari rahvalaulu, nende kuulsat iiri tantsu ja seda, et Iirimaa sümbol on roheline ristikheinaleht. Kohale jõudes selgus, et see maa oli veelgi rohelisem, kui olin kujutlenud. Kõik see rohelus oli aga vahvalt mummuline: valgeid lambaid täis. Tollal elas Iirimaal umbes sama palju lambaid kui inimesi. Ja kui tasapisi sel kaunil maal ringi vaatasime, avanes iidne keldi kultuur oma kunagises sügavuses ja ilus. Ehtsa iiripärase maitse annab igale toidule Guinnessiga tempimine, sobib nii soolasesse kui magusasse, aga lausa maagiliselt mõjub see uluki- ja veiselihale. *Bain taitneamh as do bhéil!* (häälda: Bane tatniv os du veil!)

Across the sea to Ireland!

Almost 4.5 million people live in Ireland and there is an average of 65.2 people per square kilometre. Most Irish people live outside of their homeland, and therefore, there are Irish pubs in all the world's largest cities, where you can hear authentic Irish music and drink Guinness.

When I was preparing to travel to Ireland for the first time, our ambassador at the time warned me that, although it was summer, I had to dress warmly. "Irish weather is like Estonia in the summer – it rains, and the average temperature is +14 °C; and it's like that the year round," he told me. All I knew about Ireland was a couple of folk songs, their famous Irish dancing, and the fact that the green shamrock is the symbol of Ireland. When I arrived, I realised that the country is much greener than I could have imagined. All this greenery was also wonderfully polka-dotted with white sheep. At that time, almost as many sheep lived in Ireland as people. And slowly, as we travelled around this beautiful country, the ancient Celtic culture, with its profundity and beauty, revealed itself. Adding Guinness to a dish will give it an authentic Irish taste. It suits both salty and sweet dishes, but it is quite magical with game and beef. *Bain taitneamh as do bhéil!* (pronounce: Bane tatniv os du veil!)

Irish soda bread elik iiri soodaleib

Powerscourti mõis on 300 aasta jooksul näinud nii mõndagi. Toidu kasvatamisega on seal alati tegeldud. Alguses kasvatati maisi pelgalt kohaliku Avoca küla elanike tarbeks. Ajapikku sortiment laienes ja mõisa maadele rajati hunnitu park koos igast ilmakaarest inspiratsiooni saadud iluaedadega. Powerscourt *anno* 2008 oli nagu ilus unistus. Meie riigivisiit Iirimaale* viis meid sellesse maagilisse paika, kuna teati me kiindumusest maaelu, aianduse ja toiduvalmistamise vastu. Ja ma olen lõpmata tänulik!

Powerscourti peamajas asub nüüd restoran, kus valmistatakse roogasid ainult oma aiast või kohalikelt saadud toorainest. Märksõnadeks on värskus, ehtsus ja piiramatu fantaasia. Nii ei tea kunagi, kas pakutava kujul on tegu päris iirlaste traditsioonilise toiduga või on seda kaugete maade maitsetega tembitud. Ränduritest saarerahva asi, maailm on nende meelest pisike juba ammustest aegadest saadik.

Minu tähelepanu köitis kõige enam leivakorv. Pakuti umbes seitset sorti leiba, nende hulgas ka iirlaste endi traditsioonilist *soda bread*'i. See oli nii maitsev, et esimese satsi jämedat kivijahvatusega täistera nisujahu tõin ma tolle leiva küpsetamiseks kaasa sealtsamast.

...

1 päts

200 G VALGET NISUJAHU
300 G JÄMEDAT TÄISTERA SPELTAT
3 SPL KLIISID
2 SPL JAHVATATUD NISUIDUSID (*WHEAT GERM*'I*; SAAB KA ILMA)
2 KUHJAGA TL SOODAT VÕI KÜPSETUSPULBRIT (+ SOODALE PAAR TILKA SIDRUNIMAHLA)
1 TL MERESOOLA
1–2 SPL METT VÕI VAHTRASIIRUPIT (VÕI MUUD LOODUSLIKKU MAGUSAT SIIRUPIT)
600–900 ML PIIMA
KUI MEELDIB, LISA SEEMNEID

Sega kõik ained suures kausis, viimasena lisa siirup ja piim. Piima pane jaokaupa, et tekiks niiske ja mahlakas paks tainas. Pane hästi määritud leivavormi (leiva suurus on 1 kg) ja küpseta 200 °C juures 6–20 minutit – kuni leib on kerkinud. Alanda kuumus 170 °C-ni ja küpseta veel tund. Võta leib ahjust, kalluta vormist välja ja koputa noa otsaga – kui kõmab õõnsalt, on valmis. Kui mitte, pista ta veel 10–15 minutiks (ilma vormita) ahju. Seda suurepärast leiba saab ka kuumalt lõigata. Naudi supi kõrvale või niisama või ja soolahelvestega!

* Wheat germ *on nisutera tilluke osa, millest tuleb idu. Ta sisaldab 23 vitamiini, mineraali ja toitainet ja on seega tõeline tervise varaait. Müüakse kuivatatud pulbrina.*

* *Eesti Vabariigi presidendi riigivisiit Iirimaale toimus 13.–16.04.2008.*

Irish soda bread

Powerscourt Estate has seen quite a bit during its 300-year history. And food has always been grown there. In the beginning, only corn was grown for the local villagers in Avoca. In time, the assortment broadened, and a magnificent park was established on the grounds of the estate, with gardens inspired by the four corners of the Earth. In anno 2008, Powerscourt was like a beautiful dream. Our state visit to Ireland* took us to this magical place, since our devotion to country living, gardening and food preparation was well known. And I am infinitely grateful!

There is a restaurant in the main house at Powerscourt, where the meals are prepared using only local produce and raw ingredients from their own gardens. The keywords are freshness, authenticity and unlimited fantasy. Thus, you never know whether what you are being served is a traditional Irish dish, or it has been dosed with tastes from faraway lands. Typical of a rambling island people – the world has seemed tiny to them since time immemorial.

My attention was most attracted by the bread basket. About seven different kinds of bread were served, including traditional Irish soda bread. This is so tasty that I brought back my first bag of the coarse, stone-ground whole-wheat flour from that same state visit in order to bake this bread.

. . .

One loaf

- 200 G WHITE WHEAT FLOUR
- 300 G COARSE FULL-GRAIN SPELTA
- 3 TBSP BRAN
- 2 TBSP WHEAT GERM* (OPTIONAL)
- 2 HEAPED TSP OF BAKING SODA OR BAKING POWDER (+ A COUPLE OF DROPS OF LEMON JUICE IN THE SODA)
- 1 TSP GROUND SEA SALT
- 1–2 TBSP HONEY OR MAPLE SYRUP (OR OTHER NATURALLY SWEET SYRUP)
- 600–900 ML MILK
- IF YOU LIKE, ADD SEEDS.

Mix all the ingredients in a large bowl, adding the syrup and milk last. Add the milk gradually, for moist and juicy, but thick, dough. Put the dough in a well-greased bread pan (size of the loaf is 1 kg). Bake at 200 °C, for 6–20 minutes – until the bread has risen. Reduce the heat to 170 °C, and bake for another hour. Take the bread out of the oven, tilt it out of the pan, and tap it with the point of a knife – if it sounds hollow, it's ready. If not, stick it back in the oven for another 10 or 15 minutes (without the pan). This wonderful bread can also be cut while it's hot. Enjoy with soup, or with just butter and salt flakes!

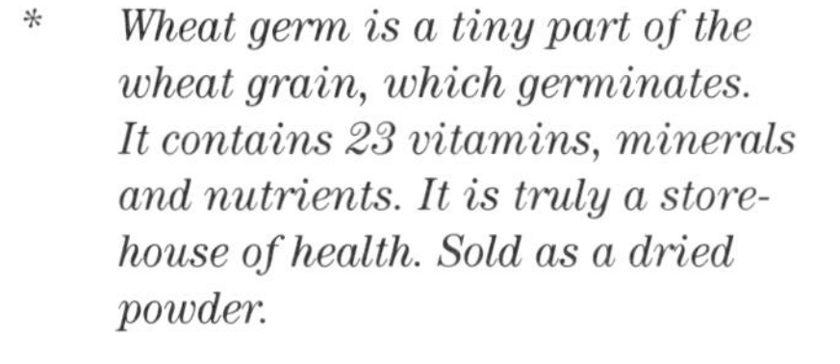
* *Wheat germ is a tiny part of the wheat grain, which germinates. It contains 23 vitamins, minerals and nutrients. It is truly a storehouse of health. Sold as a dried powder.*

* *The state visit of the President of Estonia to Ireland took place from 13 to 16 June 2008.*

Bailey's Irish cheesecake elik Baileyse juustukook

Selle retsepti servale on soditud kuupäev 24/4/2008 ja tollase Iiri suursaadiku abikaasa Hanora Kilkenny* initsiaalid. Olime mitmeid kordi ennast kokkamisteemadesse peaaegu unustanud ja Hanora teadis, et mul on kirg juustukookide vastu. Ükskord saatis ta meilile lausa 15 iirimaise juustukoogi retsepti. Seda kooki aga valmistasin neile siis, kui nad end Eestist lahkuma asutasid. See oli üks imeilus päev Ärmal ja nad ütlesid lahkudes: „Eestile jääb alatiseks eriline koht meie südames." Muidugi – Noel ja Hanora ju abiellusid Eestis, seda ei tule saadikute puhul just tihti ette. Pikka õnne neile!

. . .

Kaheteistkümnes

PÕHI

- 110 G VÕID
- 270 G DIGESTIVE KÜPSISEID

TÄIDIS

- 600 G PHILADELPHIA TOORJUUSTU
- 200 ML BAILEYSE LIKÖÖRI
- 220 G HELEDAT PEENT SUHKRUT
- 200 ML VAHUKOORT
- 1,5 PAKKI VÕI UMBES 1 LIITRI PAKSENDAMISEKS VAJAMINEV KOGUS ŽELATIINI

Sulata või, sega purustatud küpsistega. Suru segu lahtikäiva koogivormi põhja. Pane külmikusse tahenema.

Vahusta vahukoor. Vahusta eraldi vispliga, saumikseriga või köögikombainis toasoe toorjuust ja suhkur. Sulata väheses vees želatiin ja sega ettevaatlikult Baileysega, seejärel vala segades ja peene nirena juustusegusse. Siis sega käsivispliga sisse vahukoor. Kalla juustumass koogivormi küpsisepõhjale. Tardumine võtab aega vähemalt 3 tundi. Kaunista värskete lilleõitega. Naudi kohviga. Meretagune mõnu!

☞ Lastele see kook ei sobi.

* *Noel Kilkenny oli Iirimaa suursaadik Eestis 2004–2008.*

Bailey's Irish cheesecake

The date 24/4/2008, and the initials of Hanora Kilkenny*, the wife of the Irish ambassador at that time, are scribbled into the margins of this recipe. We had often lost track of time while discussing cooking, and Hanora knew that I had a passion for cheesecakes. Once, she actually e-mailed me 15 recipes for Irish-style cheesecake. This is the cake that I baked for them when they were getting ready to leave Estonia. It was a beautiful day at Ärma Farm, and as they were leaving, they said, "Estonia will always have a special place in our hearts." Of course, Noel and Hanora had gotten married in Estonia – this does not happen very often with ambassadors. I wish them lots of happiness!

...

Serves 12

CRUST

110 G BUTTER
270 G DIGESTIVE BISCUITS

FILLING

600 G PHILADELPHIA CREAM CHEESE
200 ML BAILEY'S IRISH CREAM
220 G FINE WHITE SUGAR
200 ML WHIPPING CREAM
1½ PACKAGES, OR ENOUGH GELATINE TO THICKEN 1 LITRE OF LIQUID

Melt the butter. Mix it with the crumbled biscuits. Press the mixture into the bottom of a baking pan with removable sides. Put it into the refrigerator to congeal. Whip the cream. Separately, whip the room-temperature Philadelphia cream cheese and sugar with a hand blender or food processor. In a little water, dissolve the gelatine, and mix, gently, with the Bailey's. Then, pour this liquid mixture, as a thin trickle, into the cream cheese mixture, while continuing to stir this. With a hand whisk, mix in the whipped cream. Pour this cheese mass into the cake pan, on top of the biscuit crust. It will take at least 3 hours to congeal. Decorate with fresh blossoms. Enjoy with coffee. A delight from across the sea!

☞ This cake is not appropriate for children.

* *Noel Kilkenny was the ambassador of Ireland to Estonia, from 2004 to 2008.*

Teisele mandrile – Ameerikasse!

Mis on õieti Ameerika? New York polevat Ameerika, vaid omaette nähtus. Tegelikult on ju ka Ameerika Ühendriigid omaette nähtus. Paik, kuhu on kolinud sadu rahvaid, kes seal tasapisi endas ühiseid jooni kasvatanud. Ent kultuuride kirevus, sellega koos köökide, mustrite ja maitsete miljoninäoline paljusus – kõik on ikka alles. Sa võid vabalt sattuda paikadesse, kus unustad, kas oled põhja või lõuna pool Mehhiko piiri. Või näiteks kuhugi, kus tänavasildid on ainult korea keeles. Ehk ka sinna, kus kõik on filmilikult ideaalne: kõige ilusamad inimesed teevad kõike kõige paremini. Ning vastupidi ka. Ameerikas on kõike kõige rohkem, ka vastuolusid ja kontraste: maailma tippteaduse ja parimate ülikoolide tagahoovist leiad koormate kaupa rämpstoitu ja keharasva. Seal on San Francisco kõige innovaatilisem, tervislikum ja maalähedasem elustiil ning Minnesota lägahektarid. Jne, jne. Ma armusin New Yorki kohe, esimesel külaskäigul. Maine'i mereäärsed maalilised vaated on ikka veel meeles ja maailma kõige ägedamad džässiklubid asuvad ka kindlasti just seal. Ameerika on unistuste ja nende täitumise maa. Mis teeb aga toidu ameerikalikuks, küsisin oma New Yorgis koolitatud kaasalt? Pika vaikuse järel kostis ta: „Pole olemas ameerikalikku toitu, sest ameeriklane pole ju rahvus. Seal on kõike, enam vahest indiaanlaste, hispaanlaste, brittide ja itaallaste mõjutusi, viimasel ajal üha rohkem ka india ja korea toite. Kui miski on ameerikalik, siis ehtne veiselihasteek." *Enjoy!*

USAs elab 304 miljonit inimest ning ühele ruutkilomeetrile jagub keskmiselt 31,6 elanikku.

Off to another continent – to America!

The United States of America has a population of 304 million, and there are 31.6 residents per square kilometre.

What is America? Supposedly New York is not America, but a separate phenomenon. Actually, the United States is also a separate phenomenon – a place to which hundreds of nationalities have emigrated, and then slowly developed common traits. However, the diversity of cultures, along with the million-faced abundance of cuisines, patterns and tastes still exists. You can easily end up in places where you forget whether you are north or south of the Mexican border. Or in a place where the street signs are only in Korean. Or somewhere, where everything is idyllic like in the movies – where the most beautiful people are the best at everything. Or the opposite. America has the most of everything, including contradictions and contrasts – in the backyard of the world's ultimate research centres and top-level universities you find loads of junk food and body fat. There is the most innovative, healthy and down-to-earth lifestyle of San Francisco, and Minnesota's hectares of slush. Etc., etc. I fell in love with New York on my first visit. I still remember the picturesque seaside views of Maine, and the world's greatest jazz clubs are, definitely, located in America. It is a land of dreams and their fulfilment. What makes food American, I asked my husband, who was educated in New York? After a long silence he said, "There is no American food, because Americans are not a nationality. There are all kinds of influences, primarily perhaps those of the American Indians, Spanish, British and Italians, and in recently times, increasingly Indians and Koreans. If anything is American, it is authentic beef steak." Enjoy!

Caesar Cardini's Caesar salad elik tseesari salat

Ameerika popimaid salateid, mis kiiresti ka meile armsaks saanud, on tegelikult leiutatud 1924. aastal itaalia koka Caesar Cardini poolt Mehhikos tema restoranis Tijuana. Salat valmis otse kliendi laual ja serveeriti kohe. Arvukad tööstuslikult toodetud Caesari salati kastmed on tegelikult kaugel selle hõrgutavast põhiolemusest. Kes kordki on kastme valmistamise ise ette võtnud, ei vaata enam poes purkidesse pakitu poolegi. Ära kasuta salatis ka tööstuslikke krutoone, vaid tee need ise. Valmistamine on lihtne, soeta vaid saumikser või blender. Allolev retsept on pärit New Yorgi *chef*'ilt, kellele kuulub au omada Caesar Cardini originaalretsepti.

. . .

Aleksandra

KRUTOONID

- 2 SUURT KÜÜSLAUGUKÜÜNT
- NÄPUOTSAGA SOOLA
- 3 SPL KÜLMPRESSITUD OLIIVIÕLI
- 4 SAIAVIILU, KUUBIKUTEKS LÕIGATUD

KASTE

- 1 SUUR MUNA
- 1 TL WORCESTERSHIRE'I KASTET
- 3 SPL VÄRSKET SIDRUNIMAHLA
- 1 KÜÜSLAUGUKÜÜS, PRESSITUD
- NÄPUGA MERESOOLA
- 0,5 TL VÄRSKELT JAHVATATAUD MUSTA PIPART
- 1,5 TL ANŠOOVISEPASTAT (VÕI 4 ANŠOOVISEFILEED ÕLIS)
- 1 TL KAPPAREID
- 1 TL DIJONI SINEPIT
- ⅓ KL KÜLMPRESSITUD OLIIVIÕLI
- ⅓ KL RIIVITUD PARMA JUUSTU

- 2–3 PEAD ROOMA SALATIT

Krutoonideks suru küüslauk läbi pressi või haki peeneks. Sega kausis omavahel küüslauk, õli, sool ja saiakuubikud. Sega niikaua, kuni kõik kuubikud on üleni seguga kaetud. Pane küpsetuspaberiga kaetud ahjuplaadile ning küpseta 175 °C juures kuldseks (umbes 10 minutit).

Kastmeks „hellita"* muna. Suru küüslauk läbi pressi, lõika anšoovis pisikesteks tükkideks. Vispelda või pane kõik blenderisse, välja arvatud õli ja Parma juust. Kui segu on kreemjas, vala peene joana samal ajal vispeldades või blenderisse oliiviõli, lisa ka kolmandik juustust. Kaste muutub vispeldades majoneesi sarnaseks.

Rebi salat kaussi, vala peale pool kastet ja juustu, sega või raputa hoolega; pärast vala peale ülejäänud kaste, Parma juust ja krutoonid ning sega taas. Serveeri külmalt taldrikult kohe.

* *Toore muna „hellitamine"* (Coddled egg) *annab kastmele kreemjama tekstuuri. Selleks aja vesi keema ja pane muna sinna sisse 45 sekundiks. Siis kohe külma vette. Ongi hellitatud ja toimib hästi!*

Caesar Cardini's Caesar salad

Caesar Cardini's Caesar salad

Caesar Cardini's Caesar salad

One of America's most popular salads, which also quickly became one of our favourites, was actually invented in Mexico in 1924, by an Italian chef named Caesar Cardini at his restaurant in Tijuana. The salad is prepared right at the customer's table, and served immediately. The numerous, commercially produced, Caesar salad dressings are actually far removed from its true enticing essence. Anyone who has prepared this dressing, even once, will never look at the bottled dressing again. Also, do not use commercially produced croutons, but make your own. The preparation is easy, just get yourself a hand blender or blender. This recipe originated from a New York chef, who has the honour of owning Caesar Cardini's original recipe.

. . .

Serves 4

CROUTONS

- 2 LARGE CLOVES OF GARLIC
- PINCH OF SALT
- 3 TBSP COLD-PRESSED OLIVE OIL
- 4 SLICES OF WHITE BREAD, CUT INTO CUBES

DRESSING

- 1 LARGE EGG
- 1 TSP WORCESTERSHIRE SAUCE
- 3 TBSP FRESHLY SQUEEZED LEMON JUICE
- 1 CLOVE OF GARLIC, PRESSED
- PINCH OF GROUND SEA SALT
- ½ TSP FRESHLY GROUND BLACK PEPPER
- 1½ TSP ANCHOVY PASTE, OR 4 ANCHOVY FILLETS IN OIL
- 1 TSP CAPERS
- 1 TSP DIJON MUSTARD
- ⅓ CUP COLD-PRESSED OLIVE OIL
- ⅓ CUP GRATED PARMESAN CHEESE

- 2–3 HEADS OF ROMAINE LETTUCE

For the croutons, press the garlic, or finely chop. In a bowl, mix the garlic, oil, salt and bread cubes. Mix, until all the cubes are totally covered with the mixture. Put the cubes on a baking sheet covered with baking paper, and bake at 175 °C, until golden brown (about 10 min).

For the dressing, coddle* the egg, and put it into the mixing bowl. Press the garlic, and cut the anchovies into tiny pieces, adding everything to the mixing bowl. Whip, or put everything in the blender, except for the oil and Parmesan cheese. Once the dressing becomes creamy, pour in the olive oil as a fine stream, while whipping or blending. Add one third of the cheese. As you whip it, the dressing will become similar to mayonnaise.

Tear the lettuce into a large salad bowl. Pour on the dressing and cheese. Mix, or toss thoroughly. Thereafter, pour on the remaining dressing, Parmesan cheese and croutons. Mix again. Serve immediately on cold plates.

* *Coddling the egg gives the dressing its creamy texture. To coddle the egg, bring water to a boil, and put the egg in for 45 seconds. Then immediately put it into cold water. It's coddled, and ready to be used!*

Washington crab cakes elik krabikoogid

See on minu jaoks tõeline New Yorgi maitse, kuigi traditsiooniliselt pole krabikoogid sugugi Manhattanilt pärit, vaid hoopis Marylandist. Kui abikaasaga 1998. aastal esimest korda koos New Yorki väisasime, soovitas ta kindlasti proovida kahte asja: *crab cake*'i ja *New York cheesecake*'i. Proovisin ja armusin. Veel paar aastat tagasi polnud Eestis võimalik krabiliha osta, aga nüüd on see konservidena täiesti olemas, nii et nautigem seda ameerikalikkuse hõrgumat palet!

...

Neljale

500 G KRABILIHA
2 SPL VÕID VÕI OLIIVIÕLI
1 SPL PEENEKS HAKITUD PUNAST PAPRIKAT (SOOVI KORRAL)
0,5 KL HAKITUD ROHELIST SIBULAT
2 KÜÜSLAUGUKÜÜNT, PEENESTATUD
1 MUNA
4 SPL MAJONEESI (TEE ISE!*)
1 SPL DIJONI SINEPIT
MERESOOLA
VÄRSKET MUSTA PIPART
¼ TL PAPRIKAPULBRIT (SOOVI KORRAL)
4 SPL PEENESTATUD VÄRSKEID ÜRTE (PETERSELL, KORIANDER, TILL)
2 SPL VÄRSKELT JAHVATATUD JA RÖSTITUD SAIAPURU
PRAADIMISEKS 1–2 KL RIIVSAIA, SAIAPURU VMS

Kuumuta keskmisel kuumusel või või õli, lisa hakitud paprika, roheline sibul ja küüslauk. Sega nõrgal tulel, kuni küüslauk on klaasjas (mitte pruun!), umbes 5–10 minutit. Pane kõrvale. Sega suures kausis hakitud krabiliha kergelt lahti klopitud munaga, lisa majonees, sinep, sool, pipar ja ürdid ning saiapuru. Lisa köögiviljad ja sega tainas hästi läbi. Jaga 8 osaks, vormi kotletid, ja kui on aega, pane tunniks-paariks külmikusse tahenema.

Küpsetamiseks kuumuta pannil või või õli (kõige maitsvamad koogid saab *ghee*'ga ehk selitatud võiga). Küpseta keskmisel kuumusel nii, et riivsai ei kõrbe, keera kooke kord või paar. Ühele pannitäiele kulub umbes 8 minutit. Hoia valmis koogid ahjus 70 °C juures soojas. Paku kuumalt koos ürtidega maitsestatud majoneesiga või salsaga. Tõesti maitsev ja alternatiivne kotlet.

☛ Saiapuru asemel võid kasutada riivsaia või näiteks purustatud speltahelbeid. Ka kama sobib riivsaia oivaliselt asendama. Omatehtud saiapuru on aga parim!

* *Majoneesiks võta 2 munakollast, 1–2 spl värsket sidrunimahla või õunaäädikat, 0,25 tl soola, valget pipart, 1 klaas head õli ja umbes 1,5 tl Dijoni sinepit ning näpuga heledat roosuhkrut. Vahusta saumikseriga või pane köögikombaini. Kui läheb liiga paksuks, lisa teelusikaga vett.*

Washington crab cakes

For me, this is truly a New York taste, although, traditionally, crab cakes are not from Manhattan, but from Maryland. In 1998, when my husband and I first visited New York together, he recommended that I definitely try two things – crab cakes and New York cheesecake. I did, and I fell in love. Only a few years ago, it was not possible to buy crabmeat in Estonia, but now it is available in cans, so enjoy this most delicious aspect of Americana!

...

Serves 4

- 500 G CRABMEAT
- 2 TBSP BUTTER OR OLIVE OIL
- 1 TBSP FINELY CHOPPED RED BELL PEPPER (OPTIONAL)
- ½ CUP CHOPPED GREEN ONION
- 2 CLOVES OF GARLIC, FINELY CHOPPED
- 1 EGG
- 4 TBSP MAYONNAISE (MAKE IT YOURSELF!*)
- 1 TBSP DIJON MUSTARD
- GROUND SEA SALT
- FRESHLY GROUND BLACK PEPPER
- ¼ TSP POWDERED PAPRIKA (OPTIONAL)
- 4 TBSP FINELY CHOPPED FRESH HERBS (PARSLEY, CORIANDER, DILL)
- 2 TBSP FRESHLY GROUND AND TOASTED BREAD CRUMBS
- FOR FRYING, 1–2 CUP OF GRATED BREAD, BREAD CRUMBS, ETC.

Heat the butter or oil on medium heat. Add the chopped bell pepper, green onion and garlic. Stir on low heat, for about 5 to 10 minutes, until the garlic is glazed (not brown!). Set aside. In a large bowl, mix the chopped crabmeat with the lightly whipped egg. Add the mayonnaise, mustard, salt, pepper, herbs and bread crumbs. Add the glazed vegetables, and mix well. Divide into 8 portions. Form into patties, and if you have the time, put them in the refrigerator to set for an hour or two.

To cook the patties, heat the butter or oil in a pan (the most delicious cakes are made with ghee or clarified butter). Cook on medium heat, so the grated bread does not burn. Flip them once or twice. It takes about 8 minutes to cook one panful. Keep the prepared cakes in the oven at 70 °C. Serve hot, with mayonnaise flavoured with herbs or salsa. A truly delicious, but quite different patty.

☞ Instead of bread crumbs, you can use grated bread or crushed spelta flakes. Kama is also a great substitute for grated bread. However, homemade bread crumbs are the best!

* *For the mayonnaise, take two egg yolks, 1–2 tbsp freshly squeezed lemon juice, or apple cider, ¼ tsp salt, white pepper, 1 cup of good oil and about 1½ tsp Dijon mustard, as well as a pinch of white rose sugar. Whip with a hand blender, or put these ingredients in a food processor. If the mixture becomes too thick, add a teaspoon of water.*

A PIECE OF CAKE

New York cheesecake elik NYC stiilis juustukook

New Yorgis ollakse juba enam kui sajand veendumusel, et parimad juustukoogid tehakse just nimelt seal. Veelgi enam, ka suurimad juustukoogi nautijad ja asjatundjad olla samuti NYC-sse koondunud. Eelmise sajandi alguses valitses NYC-s tõeline juustukoogibuum, kus igal endast lugupidaval restoranil oli pakkuda oma *cheesecake*. Variante on sadu, nende kohta on välja antud terveid raamatuid. Kuid tänapäeval tähistab termin *New York cheesecake* kõige puhtamat ja lihtsamat juustukoogi varianti: vaid naturaalne toorjuust ja koor, ei mingeid lisandeid sees ega peal. Kuid tulemus on hunnitu – nagu ikka lihtsatel asjadel. Järgnev on ühe Manhattani *chef*'i retsept.

. . .

8-12-le

PÕHI

- 1,5 KL PURUSTATUD KÜPSISEID (NT *GRAHAM CRACKER* VÕI LOTTE)
- 100 G SULATATUD VÕID

TÄIDIS

- 1250 G TOORJUUSTU (NT PHILADELPHIA), TOATEMPERATUURIL
- ½–1 KL HELEDAT ROOSUHKRUT
- 3 SPL NISUJAHU
- 5 MUNA
- 2 MUNAKOLLAST
- 1 TL VANILLIEKSTRAKTI VÕI 0,5 TL PUHAST VANILLIPULBRIT
- 50 ML VAHUKOORT (35%)

Kuumuta ahi 250 °C-ni.

Põhjaks sega purustatud küpsised sulavõiga, pressi 23 cm läbimõõduga lahtikäiva määritud koogivormi põhja ja pista külmikusse ootama.

Täidiseks sega käsivispliga toorjuust ja suhkur siidjaks kreemiks. Sega sisse jahu. Seejärel lisa ühekaupa munad ja munakollased, segades igaühe järel kõik hoolega ühtlaseks. Lõpuks lisa vanill ja (vahustamata) vahukoor.

Vala segu ettevaatlikult koogivormi suunaga keskelt servadele. Küpseta 10 minutit 250 °C juures, siis alanda kuumust 100 °C-ni ning küpseta, kuni pealispind on kuldpruun ja kohev, umbes tund. Piilu ikka ahju, aga ära ust vahepeal ava! Keera ka ventilaator kinni, sest juustukook tuult ei taha.

Jäta kook umbes 2 tunniks ahju jahtuma, siis ei vaju ta kokku. Seejärel kata vorm kilega ja pane enne pakkumist vähemalt 6 tunniks külma. Muidugi sobivad sinna kõrvale värsked maasikad või vaarikad, peale aga mõni ehtne lilleõis.

☞ Ülejäänud munavalgetest tee beseed või valge muna omletti või säilita sügavkülmas umbes 6 kuud.

New York cheesecake

New Yorkers have been convinced for over a century that the best cheesecake is made in their city. And, what's more, the greatest appreciators of, and experts on, cheesecake are also concentrated in New York. A veritable cheesecake boom was unleashed there, at the beginning of the last century, when every respectable restaurant served its own version of cheesecake. There are hundreds of variations, and entire books about them have been published. However, today, the term "New York cheesecake" denotes the purest and simplest version of cheesecake – only natural cream cheese and sweet cream, no additives in or on top. Yet, the result is splendid – as with all simple things. The following is a Manhattan chef's recipe.

...

Serves 8 to 12

CRUST

- 1½ CUP GRAHAM CRACKERS OR LOTTE COOKIES
- 100 G MELTED BUTTER

FILLING

- 1250 G CREAM CHEESE (E.G. PHILADELPHIA), ROOM TEMPERATURE
- ½–1 CUP WHITE ROSE SUGAR
- 3 TBSP WHEAT FLOUR
- 5 EGGS
- 2 EGG YOLKS
- 1 TSP VANILLA EXTRACT OR ½ TSP PURE POWDERED VANILLA
- 50 ML WHIPPING CREAM (35%)

Preheat the oven to 250 °C.

For the crust, mix the crushed graham crackers with the melted butter. Press the mixture into the bottom of a 23-cm-diameter cake pan with removable sides, and set aside in the refrigerator.

For the filling, mix the cream cheese and sugar with a hand whisk, until it's a silky cream. Mix in the flour. Thereafter, add the eggs and egg yolks, one at a time, mixing thoroughly after adding each egg until it's smooth. Finally, add the vanilla and the whipping cream.

Carefully pour the mixture into the cake pan, starting at the middle and moving outward. Bake for 10 minutes at 250 °C. Then lower the temperature to 100 °C, and bake until the top surface is golden brown and fluffy – about one hour. Peek into the oven, but do not open the door in the meanwhile! Also, turn off the ventilator, since cheesecake does not tolerate drafts.

Leave the cake in the oven for about 2 hours to cool, to keep it from collapsing. Thereafter, cover with plastic wrap, and put it into the refrigerator for at least 6 hours, before serving. Of course, you can serve it with fresh strawberries or raspberries, and decorated it with a few flower blossoms.

☞ From the remaining egg whites, make a meringue or white egg omelette, or store in the freezer for up to 6 months.

Key lime pie
elik laimikook Key saartelt

Key West on üks maagiline paik. See asub pika Key saarestiku otsas kaugel lõunas ja sealt võib hea kujutlusvõime korral ja kikivarvule tõustes isegi Kuubat näha. Igatahes Ernest Hemingwayl oli seal kena suvemaja, mida turistid käivad jätkuvalt uudistamas. Meie rändasime kunagi ühele pisemale saarele, asusime tolles pikas rivis kuskil keskel. Öine sõit Miamist oma rendionni pakkus uskumatuid ookeanivaateid ning tillukesi külasid romantiliste söögikohtadega. Me ei kohanud tol ööl kedagi, kes oleks inglise keelt osanud, niisiis võisime hispaania keeles musta oa supi taga kohalike kalameestega lobisedes peaaegu unustada, et see oli ikka veel USA. Kõikjal saada olnud värsked mangod, ananassid, papaiad, mereannid ja tuunikala ei lase seda puhkust iialgi unustada. Eriti aga *Key lime pie*. Retsept otse Hemingway naabrusest!

. . .

Kaheksale

PÕHI

220 G DIGESTIVE KÜPSISEID
75 G TALUVÕID
VÕID LISADA PEOGA MANDLILAASTE

KREEM

5 MUNAKOLLAST
1 PURK MAGUSTAMATA KONDENSPIIMA*
5 SPL HELEDAT ROOSUHKRUT
1 SPL TÄRKLIST
0,5 KL VÄRSKET LAIMIMAHLA
NÄPUGA VANILLISEEMNEID

KATE

5 MUNAVALGET
0,5 KL HELEDAT SUHKRUT
NÄPUOTSAGA SOOLA
VÕID LISADA TILGA VALGET RUMMI, VANA TALLINNAT VÕI COINTREAU'D

* *Võid kasutada ka magusat kondenspiima, aga siis ära suhkrut lisa.*

Põhjaks jahvata küpsised puruks, sega sulavõiga ja näpi koogivormi põhja. Kreemiks vahusta munakollased suhkruga, lisa vahustamist jätkates kondenspiim, tärklis ja laimimahl. Vala kreem vormi küpsisepõhjale ning küpseta 15 minutit 175 °C juures.

Katteks vahusta munavalged, lõpus lisa vahustades suhkur ja sool. Kui teed mikseriga, lase viimane minut käia see täispööretel, siis lisa ka rumm vms.

Tõsta läikiv vaht suure lusika abil koogile, vormi vaba käega üks kena mäestik ning pane veel kord ahju. Viimane vaatus kestab umbes 8 minutit või kuni kook on pealt helepruun, ahi võiks olla siis 200 °C. Naudi tõelist lõunamaa hõrgutist!

☛ Laimist saad rohkem mahla, kui seda enne pressimist mööda lauda käe all edasi-tagasi rullid.

☛ Key saarte laimid on väiksed ja kollased. Euroopas on enamasti saada tumerohelised pärsia laimid, ent ka neist tuleb sama hea kook. Key laimid on vaid mahlakamad.

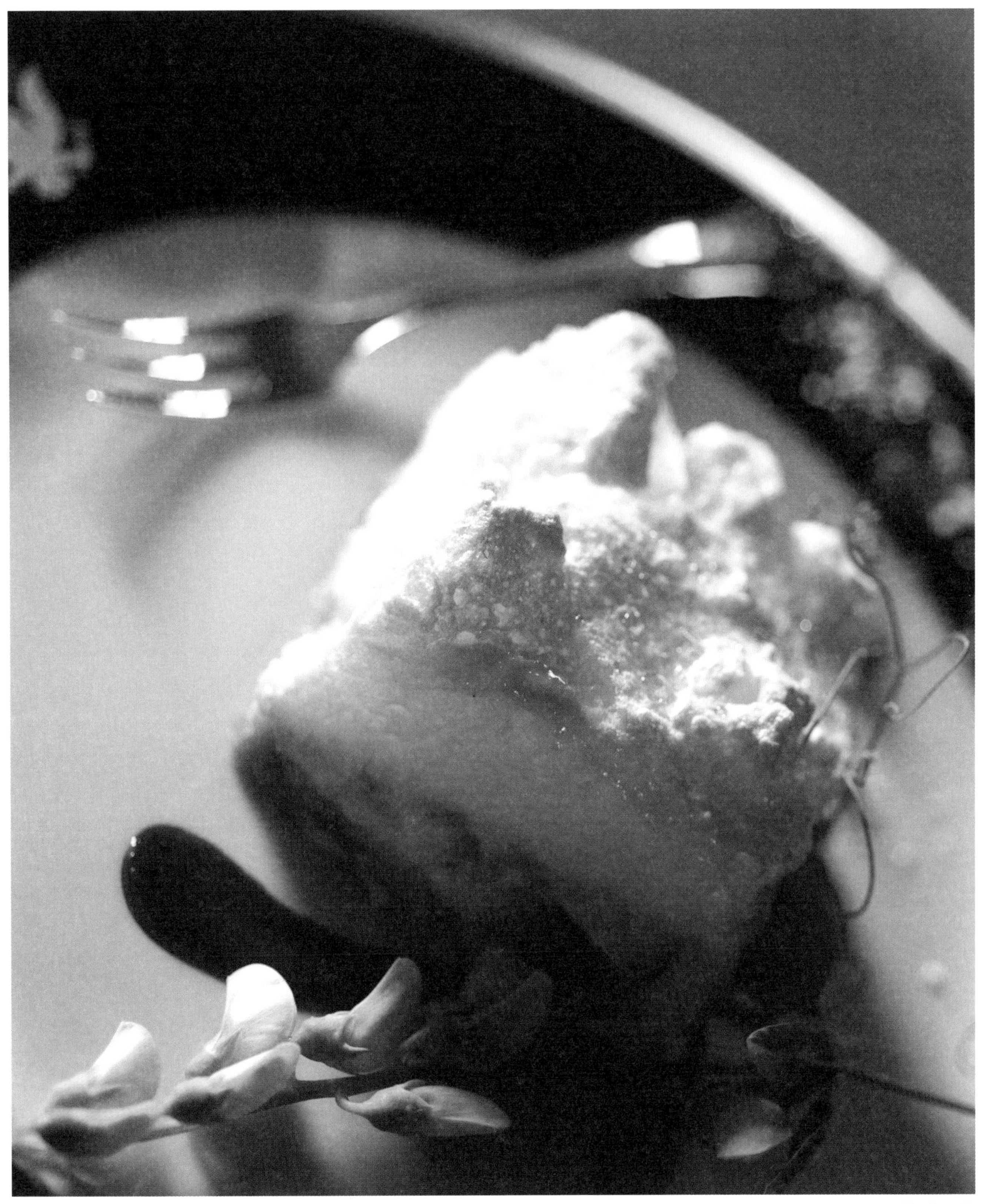

Key lime pie

Key lime pie

Key lime pie

Key West is a magical place. It is located at the tip of the Florida Keys, way down south. If you have a vivid imagination and stand on your tiptoes, you may even see Cuba from there. In any case, Ernest Hemingway had a nice summer house there, which tourists still visit. We once travelled to one of the smaller islands, located somewhere in the middle of the long series of islands. The ride, through the night, from Miami to our rental cabin, provided unbelievable ocean views and tiny villages with romantic eateries. That night, we did not meet anyone who spoke English, and as we conversed with the local fishermen in Spanish, while eating our bean soup, we could almost forget that we were still in the U.S. The fresh mangoes, papayas, seafood and tuna that was available everywhere will never let me forget this vacation. And especially, the Key lime pie. A recipe directly from Hemingway's neighbourhood!

. . .

For the crust, grind the biscuits into crumbs. Mix with the melted butter. Press into the bottom of a pie pan. Whip the egg yolks and sugar, until creamy. Keep whipping, and add the condensed milk, starch and lime juice. Pour the cream into the crust in the pan, and bake for 15 minutes at 175 °C.

For the topping, whip the egg whites. Keep whipping, and add the sugar and salt. If you are using a mixer, turn up to full speed for the last minute, and then, also add the rum, or a substitute.

Use a large spoon to lift the shiny foam onto the pie. With your free hand, form a nice range of mountains and put it back in the oven. At 200 °C this takes about 8 minutes, or until the pie is light brown on top. Enjoy a truly southern delight!

☛ You will get more juice from the lime if you roll it back and forth, on the table, while also pressing down on it with your hand, before squeezing it.

☛ The limes from the Florida Keys are small and yellow. In Europe, mostly dark green Persian limes are available, but they are just as good. The Key limes are just juicier.

CRUST

220 G DIGESTIVE BISCUITS
75 G FARMER'S BUTTER
YOU CAN ADD A HANDFUL OF SLIVERED ALMONDS.

CREAM

5 EGG YOLKS
1 CAN OF UNSWEETENED CONDENSED MILK*
5 TBSP WHITE ROSE SUGAR
1 TBSP STARCH
½ CUP FRESHLY SQUEEZED LIME JUICE
PINCH OF VANILLA SEEDS

TOPPING

5 EGG WHITES
½ CUP WHITE SUGAR
PINCH OF SALT
YOU CAN ALSO ADD A DROP OF WHITE RUM, VANA TALLINN LIQUEUR OR COINTREAU.

* *You can also use sweetened condensed milk, but then do not add sugar.*

Mägede poegade manu – Kaukaasiasse

A visit to the mountain sons of the Caucasus

Vaatad kaarti ja imestad. Sest tegelikult on Kaukaasia ju väga kaugel, kuid sealsete inimestega kohtudes tunned, et neis on midagi tuttavlikku. Jupike ühist ajalugu on meid ehk tutvustanud, ent midagi on kindlasti veel. Midagi, mis ligi tõmbab ja ka nende rahvaste suurepärastel teravatel roogadel meile meeldida laseb. Ja nõnda ongi päris tavaline, et suveõhtuti lõhnab Eestimaa aedades just nagu Kaukaasia mägede poegade juures – šašlõki järele…

You look at the map, and you marvel. The Caucuses are actually very far away, yet, one feels that there is something familiar about them. Perhaps, a snippet of common history has brought us closer, but there is definitely something more. Something that attracts us, and let's us appreciate their excellent national dishes. And so, it's quite usual that, on summer evenings, the backyards of Estonia smell as if one were visiting the mountain sons of the Caucuses – in other words, filled with the scent of grilled shish kebab…

Gruusia

Gruusias elab 4,3 miljonit inimest, ühel ruutkilomeetril keskmiselt 62,9.

Gruusiaga seovad meid soojad suhted ja tulised tunded. Ühegi teise maa lippe pole eestlased oma laulupeol nõnda massiliselt lehvitanud, ühelgi teisel puhul pole Eesti president otse teise maa sõjakoldesse sõitnud, nagu koos Poola, Ukraina ja Balti riigijuhtidega grusiinide „Mišale" appi lennati. Meid seob sarnane saatus ning küllap vastandlikud temperamendid panevad meid tõmbuma. Niimoodi tantsima, varvastel ja filigraanselt, ei hakka eestlased ilmselt kunagi. Aga nii häid kurke-tomateid, nagu Kaukaasias kasvab, oskavad ka Eesti pereemad oma aialappidelt välja võluda. Väike, tubli ja kirgline maa ei lase ennast unustada. Ta meenub täies võlus otsekohe, kui kas või Eestimaal tehtud gruusia toitu mekkida. Gruusia maitsebuketti kuuluvad kõikvõimalikud lõhnavad ürdid, punane pipar, küüslauk, äädikas ja kreeka pähklid. *Gaamoth!*

Georgia

Georgia has a population of 4.3 million, an average of 62.9 people per square kilometre.

We are connected to Georgia by warm relations and fervent feelings. The Georgian flag has been waved by Estonians at their Song Festivals more than the flag of any other country. Moreover, the President of Estonia has never travelled to a hotbed of war in another country, as he did when he flew to the aid of "Misha", along with the governmental leaders of Poland, Ukraine and the other Baltic states. We are linked by a similar fate, and, probably, our contrasting temperaments create an attraction. Estonians will never start dancing the way they do – on their toes, and with great refinement. But Estonian homemakers can conjure up cucumbers and tomatoes from their garden patches that are just as good as those grown in the Caucuses. This small, capable and passionate country will always stay in your mind.. Memories of it come flowing back as you taste Georgian food, even if it's prepared in Estonia. A Georgian taste bouquet includes all kinds of fragrant herbs, red peppers, garlic, vinegar and walnuts. *Gaamoth*!

Khalia elik gruusia terav veiselihahautis

700 G VEISELIHA, TÜKELDATUD 1–2 CM KUUBIKUTEKS
3 SPL OLIIVIÕLI
200 ML VEISE- VÕI KÖÖGIVILJAPULJONGIT*
3 SIBULAT, PEENEKS HAKITUD
2 TL TAMARINDIPASTAT
3 SPL TOMATIPASTAT
½ TL TERAVAT PAPRIKAPULBRIT
½ TL JAHVATATUD LAMBALÄÄTSESEEMNEID**
1 TL JAHVATATUD KORIANDRISEEMNEID
1 TL KUIVATATUD ESTRAGONI
MERESOOLA
1,5 TL VÄRSKET MUSTA PIPART
4 KÜÜSLAUGUKÜÜNT, PEENEKS HAKITUD
PUNT VÄRSKET KORIANDRIT, HAKITUD
60 G KREEKA PÄHKLEID, PEENEKS HAKITUD
1 SPL PRUUNI ROOSUHKRUT VÕI METT VÕI VAHTRASIIRUPIT

* *Kui kasutad puljongipulbrit või -kuubikuid, vali lisaainete vaba kraam.*

** *Heal lapsel mitu nime: põld-lambaläätse võid leida ka india maitseainete riiulilt, siis on selle nimi* kasuri methi, *imporditud purgile võib olla kirjutatud* fenugreek. *Kui sa aga seda kusagilt ei leia, pane selle asemel 2 tl sinepiseemneid. Taim kasvab meiegi ürdipeenras mõnusasti.*

Khalia on vürtsikas põhiroog. Enne seda ja sellega koos süüakse ohtralt rohelist. Grusiinid armastavad lauda tuua terved minikurgid ja tomatid ning sibularattad ja porgandiliistakad ning hiigelkausitäied rohelisi salatilehti segatud kõikvõimalike ürtidega: tilli, peterselli, koriandri, lambaläätse, estragoni ja tüümianiga jne, jne. Liha pole kunagi kellelgi liiga palju olnud ning ega sellega liialdamine tervisele head ka ei tee. Värske rohelisega aga pole võimalik liialdada.

. . .

Kuumuta madalal tulel sügava panni sees oliiviõlis sibul ja küüslauk kuldseks, lisa lihakuubikud, prae segades 15 minutit. Pane tamarind ja tomatipasta kuuma puljongisse 10 minutiks segunema, siis kalla see lihale. Lisa ürdid ja maitseained ja lase madalal tulel kaane all 1,5 tundi haududa. Ära unusta vahepeal segamast, vajaduse korral lisa puljongit või kuuma vett. Kui liha on pehme, pane potti pähklid ja mesi ning hauta viimased 10–15 minutit. Naudi sulle meeldivate lisanditega, näiteks grillitud köögiviljadega. Ära unusta hunnitut hunnikut rohelist!

Khalia or spicy Georgian beef stew

Khalia is a spicy main dish. Abundant greens are eaten before and after. Georgians love to serve whole mini cucumbers and tomatoes, as well as onion rings and carrot sticks. They also serve giant bowls full of green lettuce, mixed with all kinds of herbs: dill, parsley, coriander, fenugreek, estragon and thyme, etc., etc. No one has ever had too much meat, although overdoing it is not good for your health. However, one can never overdo it with fresh greens.

. . .

Serves 4

700 G	BEEF, CUT INTO 1–2-CM CUBES
3 TBSP	OLIVE OIL
200 ML	BEEF OR VEGETABLE BOUILLON*
3	ONIONS, FINELY CHOPPED
2 TSP	TAMARIND PASTE
3 TBSP	TOMATO PASTE
½ TSP	HOT POWDERED PAPRIKA
½ TSP	FENUGREEK SEEDS (GROUND)**
1 TSP	GROUND CORIANDER SEEDS
1 TSP	DRIED ESTRAGON
	GROUND SEA SALT
1½ TSP	FRESHLY GROUND PEPPER
4	CLOVES OF GARLIC, FINELY CHOPPED
	BUNCH OF FRESH CORIANDER, CHOPPED
60 G	WALNUTS, FINELY CHOPPED
1 TBSP	BROWN ROSE SUGAR, OR HONEY, OR MAPLE SYRUP

In a deep pan, fry the onion and garlic in olive oil, on medium heat. Add the meat cubes, and fry for 15 minutes, while stirring. Put the tamarind and tomato paste into the hot bouillon to blend for 10 minutes, and then pour over the meat. Add the herbs and seasoning. Cover, and simmer for 90 minutes. Don't forget to mix it occasionally and to add bouillon or hot water if needed. Once the meat is tender, add the nuts and honey, and simmer for another 10 to 15 minutes. Enjoy with a tasty side dish, like grilled vegetables. And don't forget a splendid heap of greens!

* *If you use bouillon powder or cubes, choose those without additives.*

** *A good child has many names. Fenugreek can also be found among Indian seasonings, and then its name is* kasuri methi. *However, if you cannot find either anywhere, substitute 2 tsp of mustard seeds. Fenugreek also grows quite nicely in our herb garden.*

A PIECE OF CAKE

Tkemali
elik ploomikaste liha juurde

Kui valmivad esimesed ploomid, on lihasõpradel aeg see kuulus kaste kohe valmis teha, sest magusa-terava-soolase kombinatsioon käitub liha peal nagu kirss tordi peal.

. . .

- 1 KG PLOOME
- 1 TERVE KÜÜSLAUK, HAKITUD
- 1 KL VETT
- 2 TL KANEELI (SAAB KA ILMA)
- 3 TL KORIANDRISEEMNEID, JAHVATATUD
- PUNT VÄRSKET KORIANDRIT (*CILANTRO*), HAKITUD
- PUNT VÄRSKET TILLI, HAKITUD
- 1 SPL PUNASE VEINI ÄÄDIKAT VÕI 2–3 SPL PUNAVEINI
- TERAVAT PUNAST PIPART VÕI TŠILLIT
- MERESOOLA

Pane ploomid tervena 30–40 minutiks keema. Seejärel aja nad läbi jämeda sõela, et koored ja kivid eemaldada. Pane uuesti madalale kuumusele, lisa ürdid, maitseained, küüslauk ja äädikas. Hauta 10–15 minutit, jahuta ja serveeri liha juurde. Teistmoodi teravus!

☛ Kaste saab eriti hõrk, kui lisad originaalretseptile 200 g taluvõid ja 2 supilusikatäit mett.

☛ Pane kaste purki ja see seisab külmikus nädalaid värske. Kui purk kuumana sulgeda, säilib kaste hoidisena üle talve.

Tkemali

Tkemali

Tkemali or plum meat sauce

When the first plums ripen, it is time for meat lovers to make this famous sauce. Because a sweet-spicy-salty combination is the perfect addition to meat, like a cherry is a perfect topping for a cake.

. . .

Boil the whole plums for 30–40 minutes. Thereafter, push them through a coarse strainer to remove the skins and pits. Put back on low heat, and add the herbs, seasoning, garlic and vinegar. Simmer for 10–15 minutes. Cool, and serve with meat. A different kind of pungency!

☞ The sauce will be especially tasty if you add 200 g of farmer's butter and 2 tbsp of honey to the original recipe.

☞ Put the sauce in a jar, and it will stay fresh, in the refrigerator, for weeks. If you seal the jar while it is hot, the sauce will be preserved throughout the winter.

1 KG PLUMS
1 WHOLE GARLIC, CHOPPED
1 CUP WATER
2 TSP CINNAMON (OPTIONAL)
3 TSP CORIANDER SEEDS, GROUND
BUNCH OF FRESH CORIANDER (CILANTRO), CHOPPED
BUNCH OF FRESH DILL, CHOPPED
1 TBSP RED WINE VINEGAR OR 2–3 TBSP RED WINE
HOT RED PEPPERS OR CHILLI
GROUND SEA SALT

Aserbaidžaan

Aserbaidžaan on 8,8 miljoni elanikuga küllaltki väike maa, kus ühel ruutkilomeetril elab keskmiselt 102 inimest. Tal on palju naabreid: Gruusia, Armeenia, Venemaa ja Iraan.

Aserbaidžaan on vist ainus riik maailmas, kus jõukas inimene võib teoks teha nõukogude natšalnikute roosa unistuse: süüa musta kalamarja otse lusikaga – oma silmaga ühes restoranis nägin. Kaspia meri pakub kaaviari kõrval ka teisi haruldusi, näiteks metsikut tuura ja erilist tumeroosat lõhelist. Granaatõuna värskelt pressitud mahl on moodsa aseritemaa uus aperitiiv – tõenäoliselt riigipea tohtrist abikaasa Mehribani initsiatiiv. Meie riigivisiidi* õhtusöögi kõrghetkeks kujuneski väike tore õppus, kus president Ilham Alijevi ihukokk näitas, kuidas õigesti puhastada granaatõuna. Ja lõppude lõpuks ei saa elamustest kõneldes üle ega ümber aserite turgudest: sealsete maitseainete ja puuviljade värvid ja aroomid ajavad meeled ärevile ka kõige rangemal põhjala askeedil. Kohalik köök pakub kümneid variante pilaffidest ja šašlõkkidest, tolle Kaukaasia nurga maitsete hulka kuuluvad vältimatult granaatõunaseemned, magusad kastanid ning kõikvõimalikud rohelised taimed, piprast rääkimata. *Nuş olsun!*

Azerbaijan

Azerbaijan, with a population of 8.8 million, is quite a small country, where an average of 102 people live per square kilometre. It has many neighbours – Georgia, Armenia, Russi, and Iran.

Azerbaijan is probably the only country in the world, where wealthy people can have the dreams of the Soviet working man come true – to eat black caviar by the spoonful. I've seen it with my own eyes. Along with caviar, the Caspian Sea also offers up other rarities, for instance, wild sturgeon and special, dark pink salmon. Freshly squeezed pomegranate juice is a modern Azerbaijani aperitif – probably, at the initiative of Mehriban Aliyeva, who is the doctor and the wife of the head of state. During our state visit**, the highlight of the state dinner was a little lesson provided by President Aliyev's personal chef, on how to correctly clean a pomegranate. And, finally, you cannot speak about Azerbaijan, without talking about their markets – the colours and aromas of the seasonings and fruits will excite the senses of even the sternest Nordic ascetic. Any local chef can serve dozens of versions of pilaf and shish kebab. The tastes of this corner of the Caucuses definitely include pomegranate seeds, sweet chestnuts and all kinds of greens, not to mention peppers. *Nuş olsun!*

---

* *Eesti Vabariigi Presidendi riigivisiit Aserbaidžaani toimus 13.–15.01.2009.*

** *The state visit of the President of Estonia, to Azerbaijan, took place from 13 to 15 January 2009.*

Nar salati elik granaatõunasalat

See on aserite versioon meil nii armastatud kartulisalatist. Olen proovinud ka eestimaise koduse kartulisalati sisse granaatõunaseemneid panna ja avastanud, et need sobivad sinna imehästi. Ja kui rõõmsa näo nad veel salatile annavad!

. . .

4-6-le

- 1 GRANAATÕUN, SEEMNED VÄLJA PUHASTATUD
- 4 KESKMIST KARTULIT, KEEDETUD, KOORITUD, KUUBIKUIKS HAKITUD
- 1 PUNANE SIBUL, ÕHUKESTEKS RATASTEKS VIILUTATUD
- ½ KL VÄRSKET TILLI JA/VÕI KORIANDRIT, HAKITUD
- 3–4 SPL OMATEHTUD MAJONEESI (VT LK 154)*
- VÄRSKET MUSTA PIPART
- MERESOOLA

Sega suures salatikausis kartulid, granaatõunaseemned, sibularattad ja ürdid. Sega juurde majonees või jogurt, maitsesta soola ja pipraga. Kui sulle meeldib mahlasem salat, pane rohkem kastet. Enne serveerimist hoia 20–30 minutit külmkapis. Naudi koduste ja Kesk-Aasia maitsete kokkusulavat sümfooniat!

☛ Granaatõuna koorimist alustatakse tipust ringikujulise lõikega – nagu lõikaksid krooni peast. Seejärel tõmba koore sisse terava noaga mööda sooni ülalt alla lõiked, umbes nagu apelsini koorides, siis murra mõlema käega hoides granaatõun pooleks või mitmeks sektoriks. Tõmba sektoritelt õhuke vahekiht maha ja seemned on valmis pesast välja hüppama.

* *Majoneesi võid asendada paksu maitsestamata jogurti, Miksiko või hapukoorega.*

Nar salati

Nar salati

Nar salati or pomegranate salad

This is the Azeri version of our beloved potato salad. I have also tried mixing pomegranate seeds into homemade Estonian potato salad, and discovered that the result is very good. And what a happy face they give to the salad!

. . .

Serves 4 to 6

- 1 POMEGRANATE, WITH THE SEEDS REMOVED
- 4 MEDIUM POTATOES, BOILED, PEELED AND CUBED
- 1 RED ONION, SLICED INTO THIN RINGS
- ½ CUP FRESH DILL AND/OR CORIANDER, CHOPPED
- 3–4 TBSP HOMEMADE MAYONNAISE (SEE PG 155)*
- FRESHLY GROUND BLACK PEPPER
- GROUND SEA SALT

In a large salad bowl, mix the potatoes, pomegranate seeds, onion rings and herbs. Add mayonnaise or yoghurt, and season with salt and pepper. If you prefer a juicier salad, add more dressing. Before serving, put in the refrigerator for 20–30 minutes. Enjoy the fused symphony of tastes from home and Central Asia!

☛ To peel a pomegranate, start at the top, by making a circular cut – as if you were cutting a crown from a head. Then, using a sharp knife, score the pomegranate as if you were peeling an orange; and, holding it in both hands, break the pomegranate into two or more sectors. Peel away the thin inner skin, and the seeds will be ready to jump out of their nest.

* *You can substitute unflavoured yoghurt, sour cream or Miksiko (sour cream substitute of yoghurt and cottage cheese) for the mayonnaise.*

Lyulya kabab elik ljulja kebab

Kuigi Bakuus oli meie riigivisiidi ajal paljude lemmitoiduks grillitud tuur granaatõunakastmes, tõin aserite juurest kingina kaasa siiski nende ühe tuntuma liharoa – ljulja kebabi.

. . .

Kaheksale

- 1,5 KG LAMBAHAKKLIHA
- 3 SIBULAT, PEENEKS HAKITUD
- 8 KÜÜSLAUGUKÜÜNT, PRESSITUD
- ½ KL PETERSELLI VÕI KORIANDRIT, HAKITUD
- 3 TL KUIVATATUD MÜNTI
- 2 TL VÜRTSKÖÖMNEID
- 1 TL VÄRSKET MUSTA PIPART
- 2 TL SUMAKIT*
- 1 TL PEENT MERESOOLA
- 1 TL CAYENNE'I PIPART (TERAVUSE ARMASTAJAILE)
- 2 TL PAPRIKAPULBRIT (SOOVI KORRAL)

Sega kausis kokku sibul, küüslauk, ürdid ja maitseained. Sõtku sisse hakkliha, kuni saad hästi läbi segatud kirju massi. Vormi käte vahel umbes 10 cm pikkused vorstid – paraja grillvorsti mõõtu. Aja igast vorstist pikkupidi ettevaatlikult läbi 2 puust grilltikku umbes 0,5 cm vahega, nii püsib kebab ilusti koos. Grilli umbes 140 °C juures mõlemalt poolt 10 minutit või kuni on ilus pruun. Eriti hea tuleb avatud grillil! Serveeri lavaši (näiteks keera lavaši sisse) ja grillitud tomatite või kuhja värske rohelise salatiga. Peale piserda *narsharab*'i* – granaatõunakastet. Tõeline grilliõhtu hõrgutis!

* *Sumak on sidrunimaitseline piprane mari, mille helbeid kasutatakse Kesk-Aasia köögis laialdaselt. Selle võib asendada teelusikatäie sidrunimahla ja 1–2 tl terava paprikaga. Aga soeta endale kindlasti, kui satud Aasia või Aafrika või ka Hispaania turgudele!*

* *Paksu siirupjat granaatõunakastet* narsharab'i, *mis hiilgavalt sobib valge kala juurde ja mitmesugustele grillroogadele, saab osta ka meie poodidest.*

Lyulya kabab or lyulya kebab

Although the favourite food of many of those on our state visit to Baku was grilled sturgeon with pomegranate sauce, the gift I brought back from the Azerbaijan was one of their most famous meat dishes – lyulya kebab.

. . .

Serves 8

1½ KG	GROUND LAMB
3	ONIONS, FINELY CHOPPED
8	CLOVES OF GARLIC, PRESSED
½ CUP	OF PARSLEY OR CORIANDER, CHOPPED
3 TSP	DRIED MINT
2 TSP	CUMIN
1 TSP	FRESHLY GROUND BLACK PEPPER
2 TSP	SUMAC*
1 TSP	FINE SEA SALT
2 TSP	CUMIN
1 TSP	CAYENNE PEPPER (FOR THOSE WHO LOVE VERY SPICY FOOD)
2 TSP	POWDERED PAPRIKA (OPTIONAL)

In a bowl, mix the onion, garlic, herbs and seasonings. Knead in the ground meat, until you get a thoroughly mixed variegated mass. By hand, form the ground meat mixture into sausages that are about 10 cm long – like a proper grill sausage. Carefully, push 2 wooden grill skewers lengthwise through the sausages, about ½ cm apart. This will neatly hold the kebab together. Grill at 140 °C for 10 minutes on each side, or until nice and brown. It's especially good when cooked on an open grill! Serve with lavash bread (for instance, roll it into lavash), grilled tomatoes and a heap of fresh green salad. Dribble on some *narsharab** pomegranate sauce. A true grill evening delicacy!

* *Sumac is a lemon-flavoured, peppery berry. Its flakes are widely used in Central Asian cuisine. Or you can substitute a teaspoonful of lemon juice and 1–2 tsp of hot paprika. However, if you should visit markets in Asia, Africa or Spain, be sure to get some!*

* Narsharab, *a thick syrupy pomegranate sauce, which is wonderful with white fish and various grilled dishes, can also be bought in our food stores.*

Kodu poole – Põhjalasse
Heading closer to home – the Nordic countries

New York Times kirjutas 2010. aasta sügisel, et unustage vanad tuntud toidumaad, uus trend tuleb põhjalast. See oli kohe pärast taanlaste Noma valimist maailma parimaks restoraniks. Pean tunnistama, et mulle väga meeldib Uue Põhjala Köögi lähenemine. See on sama, mida on meiegi tuntumad kokad juba aastaid arendanud: puhtad kohalikud maitsed, paljud neist ehedalt metsikud, võimalikult töötlemata kujul. Ja nii ei olegi sa enam vanamoodne, kui metsast seeni-marju-taimi korjad. Veelgi enam, oled hoopis ultramoodne, kui oma koduõues ka ilusaid täpilisi kanu pead. Tasapisi tulevad toidulauale tagasi metsloomade liha ja vabavetekalad. Aga ainult siis, kui me ise oma loodust hoida, väärtustada ja vääristada mõistame. See ongi see põhjamaisus, mida ma armastan.

In the autumn of 2010, *The New York Times* wrote that you should forget the old well-known culinary countries – the new trends are coming from the Nordic countries. This was right after the Danes' Noma was chosen as the best restaurant in the world. I must admit that I really like the New Nordic Cuisine. Our best-known chefs have been developing something similar for years – pure local tastes, many of them authentically wild, and as unprocessed as possible. So, you are not old-fashioned at all if you gather mushrooms, berries and plants in the forest. Quite the opposite, you are actually super-modern if you keep beautiful speckled chickens in your backyard. Slowly, game and wild fish are finding their way back to our dinner tables. But only if we preserve, value and understand how to improve our nature. This is the Nordic spirit that I love.

Rootsi

Rootsis elab 9,3 miljonit inimest ning ruumi on rohkesti: ühele ruutkilomeetrile jagub keskmiselt 22,5 elanikku.

Minu abikaasa on ainus Rootsis sündinud president terves maailmas. See nali kuulub Rootsi välisminister Carl Bildtile ja on ju kuningriigile mõeldes tõsi mis tõsi. Tollest ajast, kui Toomas Stockholmis sündis, pärineb tema ema üks elamuslikumaid toidumälestusi. Nimelt tuli poiss ilmale teise jõulupüha aegu ja rootslaste pühadetoit, „mädanenud kala", nagu mu ämm seda tänini nimetab, täitis kogu haigla võõraste meelest väljakannatamatu lehaga. Nüüd tean, et ka meie oma kodune kilu tähendab paljudele ookeanitagustele sedasama „mädanenud kala". Aga rootslaste viis heeringatele magus kaste peale teha võlub kõikjal maailmas hotellide hommikusöögilaudade külastajaid. Magus heeringas, tilliga soolatud lõhe ja koorekastmed kuuluvad vältimatult rootsiliku söögilaua juurde. Rabarber ja metsamarjad ka. *Smaklig måltid!*

Sweden

There are 9.3 million people in Sweden and they have lots of room – an average of 22.5 residents per square kilometre.

My husband is the only president in the world who was born in Sweden. This quip originates from the Swedish foreign minister, Carl Bildt. And in reference to that kingdom, it is very true; after all, Sweden is a monarchy and has no president. One of Toomas's mother's most vivid taste memories dates from the time when Toomas was born in Stockholm. The boy made his appearance in the world on Boxing Day, and the Swedes' holiday food – "rotten fish" as my mother-in-law calls it to this day—filled the hospital with an aroma that foreigners considered unbearable. Now I know that many people from across the sea also consider our own beloved marinated sprats to be rotten fish. However, the Swedish way of making a sweet herring sauce enchants hotel guests having breakfast around the world. Sweet herring, salmon salted with dill and cream sauces are always present on a Swedish table. Rhubarb and wild berries too. *Smaklig måltid!*

Gravlax elik soolalõhe tilliga

Ausalt öeldes ei tulnud ma selle pealegi, et lõhe (või ka forelli ja siia) soolamine nii imelihtne on. Aga siis tuli mu pikalt Rootsis elanud ämm külla ja imestas: „Mis sa ostad seda kalli raha eest poest, kui ise saad palju parema ja odavamalt teha?" Allolev on tema sõbranna Liselotte retsept, mille järgi olen kala soolanud juba üle kümne aasta. Mahe, mahlakas ja lausa sulab suus!

. . .

- 1 KG NAHAGA LÕHEFILEED
- 4 SPL JÄMEDAT MERESOOLA
- 2 SPL PRUUNI SUHKRUT
- 2 TL JAHVATATUD VALGET PIPART
- 2 SUURT PUNTI VÄRSKET TILLI

Võta 2 lõhefileed, raputa mõlemad üle kõigepealt suhkruga, siis soola ja pipraga. Kata täielikult tervete tillivartega – paks kiht! Pane fileed kõhtupidi kokku, mässi fooliumisse ning aseta raskuse alla külma kohta, kas külmkappi, keldrisse või sahvrisse. Hea oleks pakk ka kilekotti pista, sest see võib eritada vedelikku. Hoia 12 tundi vajutuse all, siis ava, puhasta kala tillist ja soolast. Lõika õhukesteks viiludeks ja serveeri koos sidruniviiludega. Parim röstitud saia või kooreta keedetud munaga. Värsket tilli haki ka juurde!

☛ Parim on metsik lõhe ja kui saad, osta otse rannakalurilt. Merejumalate roog!

Gravlax

Gravlax

Gravlax or salted salmon with dill

Honestly, it never even occurred to me that salting salmon (or trout or whitefish) can be so simple. But then, my mother-in-law, who lived in Sweden for a long time, came for a visit, and asked in surprise, “Why do you buy it from the store for a lot of money, when you can make it much better and cheaper yourself?” This is her friend Liselotte’s recipe, which I have used to salt fish for over 10 years. Mild, juicy and melts in the mouth!

. . .

1 KG	SALMON FILLETS
4 TBSP	COARSE SEA SALT
2 TBSP	BROWN SUGAR
2 TSP	GROUND WHITE PEPPER
2	LARGE BUNCHES OF FRESH DILL

Take two salmon fillets, and sprinkle them with sugar, and then salt and pepper. Cover totally with whole dill stalks – a thick coating! Put the fillets together, with the inner sides facing each other, and wrap in aluminium foil. Place a weight on it, and put it in a cold place – in the refrigerator, cellar or pantry. It’s a good idea to stick the package in a plastic bag, because it may excrete liquid. Keep under pressure for 12 hours. Then open and clean off the dill and salt. Fillet and serve with lemon slices. It’s best with toast and poached eggs. Also, add some fresh chopped dill!

☞ Wild salmon is the best, and if you can, buy it directly from a coastal fisherman. A dish of the marine gods!

Rabarber mandelmassa elik rabarberi-mandlikook

Kui esimest korda ühest Stockholmi kaubamajast mandlimassi avastasin, küsisin sealselt müüjalt nõu, mida sellega õieti tore teha oleks. Ma olen suur mandlite ja martsipani austaja ning õnneks sain ühe parima rabarberikoogi retsepti tol päeval otse enda kõrvalt, tollase meie suursaadiku Rootsis kaasalt Marika Streimannilt, kellega koos kaubamaja väisasime. See pahupidi pööratud kook on imemaitsev soojalt ja jäätisega, aga sünnib süüa ka jahtununa.

. . .

4-6-le

TÄIDIS

600–800 G RABARBERIT
1 SPL TÄRKLIST
1 DL HELEDAT ROOSUHKRUT
1 DL MANDLILAASTE

TAINAS RABARBERI PEALE

1 KL NISUJAHU
1 KL KAERAHELBEID
¼–½ KL HELEDAT ROOSUHKRUT (VÕIB OLLA ROHKEM, KUI SERVEERID ILMA JÄÄTISETA)
1 TL JAHVATATUD KARDEMONI
100 G MANDLIMASSI, 40–60%
100 G KÜLMA TALUVÕID

Pane ahi 200 °C sooja. Määri ilus keraamiline ahjuvorm võiga (kooki serveeri samas vormis!). Koori ja lõika rabarber vormi põhja 1–2 cm pikkusteks tükkideks. Sega suhkur ja tärklis ning puista ühtlaselt rabarberitele.

Tainaks sega jahu ja kaerahelbed suhkru ja kardemoniga. Riivi sisse mandlimass ja sega jahuga. Haki segusse külm või. Näpi kiiresti purumassiks – et või ei jõuaks sulada! Raputa segu rabarberitele, kõige peale puista mandlilaaste. Küpseta 200 °C juures umbes 25 minutit. Jälgi, et mandlilaastud ära ei kõrbeks! Serveeri soojalt jäätise, vahukoore või vanillikreemiga või koos kõigi kolmega! Imehea!

☛ Mina panen tihti rabarberite peale ka poolitatud maasikaid, siis tekib täiesti uus ja kevadine maitsekombinatsioon. Presidendi lemmik!

Rabarber mandelmassa or rhubarb-almond cake

When I first discovered almond paste in a Stockholm department store, I immediately asked the salesperson what I could make with it. I love almonds and marzipan. Luckily, I got one of the best recipes for rhubarb cake from the person right next to me – Marika Streimann, the wife of the Swedish ambassador at the time – who was shopping with me that day. This upside-down cake is super delicious warm and with ice cream, but it is also irresistible once it has cooled.

. . .

Serves 4 to 6

FILLING

- 600–800 G RHUBARB
- 1 TBSP STARCH
- 1 DL WHITE ROSE SUGAR
- 1 DL ALMOND SLIVERS

DOUGH TO TOP THE RHUBARBS

- 1 CUP WHEAT FLOUR
- 1 CUP OATMEAL
- ¼–½ CUP WHITE ROSE SUGAR (MAY BE MORE IF YOU SERVE WITHOUT ICE CREAM)
- 1 TSP GROUND CARDAMOM
- 100 G ALMOND PASTE, 40–60%
- 100 G COLD FARMER'S BUTTER

Preheat the oven to 200 °C. Grease a nice ceramic casserole with butter (serve the cake in the same casserole!). Peel the rhubarb, slice into pieces that are 1–2 cm long, and place in the bottom of the casserole. Mix the sugar and starch. Sprinkle evenly over the rhubarb.

For the dough, mix the flour, oatmeal, sugar and cardamom. Grate, and add the almond paste, and let cool. Chop the cold butter into the mixture. Quickly pinch it into a mass of crumbs – without the butter melting. Sprinkle the mixture on the rhubarb. Then sprinkle with almond slivers. Bake at 200 °C, for about 25 minutes. Make sure the almond slivers do not burn! Serve warm, with ice cream, whipped cream or vanilla cream, or with all three!

Marvellous!

☛ I often put halved strawberries on top of the rhubarb to create a totally new taste combination that is reminiscent of spring. The president's favourite!

Soome

Soomes on palju ruumi: ühel ruutkilomeetril elab keskmiselt 17,5 inimest, kokku 5,3 miljonit.

Minu kõige esimene välismaalt kingiks saadud retsept on pärit Soomest. Üks sealne sõbranna õpetas tegema õiget hommikuputru, mis võlub päevale õnneliku alguse. Selleks pole vaja muud kui lemmikpudru sisse pool banaani pudistada ja peotäis kuivatatud marju või puuvilju lisada – rosinaid, mustikaid, aprikoose vms. Peale pane mett ja võid ning õnn ongi sinu õuel. Muide, see on tõesti hää hommikusöök. Aga minu muud Soome lemmikud pärinevad kaugelt põhjast: polaarpäev ja -öö, sügisene *ruska* Lapimaa tundrutes, põhjapõdrakarjad, roosade põskedega mesimurakad ja vaikus, vaikus, vaikus… Kui ma peaksin nimetama maailma kõige kütkestavama maa, siis oleks see Eesti järel kohe Lapimaa. Oma köögi kohta ütlevad soomlased uhkusega, et kui õhk on nõnda puhas ja maa nii viljakas, on tulemuseks eriliselt maitsekas toidupoolis. Soomest tulevad parimad metsamarjad, metsaseened ja metsloomaliha Euroopas, kõneldakse nii Prantsusmaa kui Itaalia restoranides. *Hyvää ruokahalua!*

Finland

There's lots of room in Finland. An average of 17.5 people lives per square kilometre, for a total population of 5.3 million.

The very first recipe I received as a gift came from Finland. One of my Finnish friends taught me how to make proper breakfast porridge, which makes for a happy start for the day. For this, you don't need to do anything besides sprinkle some banana slices into your favourite porridge, and add a handful of dried berries or fruit – raisins, bilberries, apricots, etc. Top with honey and butter, and you'll be on cloud nine. This is a truly *hää* breakfast food. But my other Finnish favourites come from the far north – the polar day and night, the *ruska* or autumn colours in the Lapland tundra, reindeer herds, red-cheeked arctic bramble, and silence, silence, silence… If I had to pick the most captivating country in the world, I would list Lapland right after Estonia. With pride, the Finns say the following about their cuisine -- with air that is so clean and soil so fertile, the result has to be especially tasty. The best wild berries, wild mushrooms and game in Europe come from Finland, is what they say in the restaurants of France and Italy. *Hyvää ruokahalua!*

Kalitki elik Karelia (Karjala) pirukad

Neid on lihtne poest osta, aga omatehtud on ikkagi parimast parimad. Traditsioonilised Karjala pirukad tehti rukkijahuga. Täidisena oli riisi kõrval sama levinud ka tambitud kartulid ehk kartulipuder – valmistatud just nii, nagu sulle kartulipuder kõige enam meeldib: näiteks piima, või ja munakollasega. Kõige peale käib uhke müts munavõid. Üks mõnusamaid hommikusööke!

. . .

16 tükki

TAINAS

- 0,5 KL VETT
- 1 KL RUKKI-LIHTJAHU
- ¼ KL NISUJAHU
- 1 TL PEENT MERESOOLA

TÄIDIS

- 2 KL VETT
- 1 KL RIISI
- 2 KL PIIMA
- MERESOOLA
- NÄPUGA PRUUNI SUHKRUT

MÄÄRIMISEKS

- 1 SPL VÕID
- 50 ML KUUMA PIIMA

MUNAVÕI

- 120 G HEAD TALUVÕID, TOATEMPERATUURIL
- 2 MUNA, KÕVAKS KEEDETUD
- 1–2 SPL HAPUKOORT VÕI MIKSIKOT (SAAB KA ILMA)
- VÄRSKELT JAHVATATUD VALGET PIPART
- SOOVI KORRAL NÄPUOTSAGA INGVERIPULBRIT VÕI *WASABI*-PULBRIT VÕI HAKITUD VÄRSKEID ÜRTE (TÜÜMIAN, TILL, ROSMARIIN, MURULAUK, KARULAUK)

Tainaks sega kõik komponendid omavahel, saad kõva tiheda taina. Jäta kaetuna jahedasse kohta tunniks seisma.

Täidiseks pane riis veega keema, sega vahetevahel, 20 minuti pärast kalla juurde piim ja keeda niikaua, kuni piim on aurustunud ning sul on paks kreemjas puder. Maitsesta soola ja suhkruga.

Pane ahi 230 °C sooja. Rulli tainast pikk soolikas ja lõika 16 tükiks. Rulli tükid õhukesteks, umbes 10–15 cm läbimõõduga ratasteks. Määri igale rattale 2–3 spl täidist, ääred jäta vabaks. Tõsta kahelt poolt ääred keskele kokku nii, et osa täidist jääb tainaga kaetuks, keskelt jääb vabaks. Kroogi või kurruta näppude vahel tainas kurruliseks ja vormi pirukas ovaalseks.

Sega kuum piim sulavõiga ja pintselda pirukad sellega üle. Pane pirukad küpsetuspaberiga kaetud plaadile ja ahju. Küpseta 10–15 minutit, pintselda sel ajal veel korra. Valmis on nad siis, kui kuldseks muutuvad.

Munavõiks aja toasoe või kausis vahtu, sega sisse hapukoor ja hakitud munad ning maitseained. Serveeri pirukaid soojalt või külmalt. Naudi tõelist Karjala maitset!

☛ Kasuta kodumaist pudruriisi või risotole mõeldud arboriot.

☛ Pirukad säilivad õhukindlalt suletuna hästi sügavkülmas.

Kalitki or Karelian pies

It's easy to buy these from the store, but the ones you make yourself are the best of the best. Traditional Karelian pies are made of rye flour. As fillings, mashed potatoes were just as popular as rice. Use your favourite recipe for mashed potatoes – adding milk, butter and egg yolk, for example. This is topped off with a cap of egg butter. One of the yummiest breakfast foods!

. . .

16 pies

DOUGH

- ½ CUP WATER
- 1 CUP COARSELY MILLED WHOLE-GRAIN RYE FLOUR
- ¼ CUP WHEAT FLOUR
- 1 TSP FINE SEA SALT

FILLING

- 2 CUPS WATER
- 1 CUP RICE
- 2 CUPS MILK
- GROUND SEA SALT
- PINCH OF BROWN SUGAR

FOR THE GLAZING

- 1 TBSP BUTTER
- 50 ML HOT MILK

EGG BUTTER

- 120 G GOOD FARMER'S BUTTER, ROOM TEMPERATURE
- 2 EGGS, HARDBOILED
- 1–2 TBSP SOUR CREAM OR MIKSIKO (OPTIONAL)
- FRESHLY GROUND WHITE PEPPER
- IF YOU WISH, ADD A PINCH OF POWDERED GINGER OR POWDERED WASABI OR CHOPPED FRESH HERBS (THYME, DILL, ROSEMARY, CHIVES, RANSOMS)

For the dough, mix all the ingredients together for hard, dense dough. Cover, and set aside in a cool place, for an hour.

For the filling, put the rice in the water to boil. Stir occasionally. After 20 minutes, add the milk. Cook until the milk has evaporated, and you have a thick, creamy porridge. Add salt and sugar.

Preheat the oven to 230 °C. Roll the dough into a thick strip, and slice into 16 pieces. Roll the pieces into thin disks about 10–15 cm in diameter. Spread 2–3 tbsp of filling in the centre of each disk. Leave the edges empty. Fold up the edges of the dough, so that the dough covers the edges of the filling but not the centre. Pinch the edges with your fingers to crimp them, and form an oval pie.

Mix the hot milk with melted butter and brush each pie with it. Put the pies on a baking sheet covered with baking paper, and put in the oven. Bake for 10–15 minutes. Brush them once more during this time. They are ready when they are golden in colour.

For the egg butter, whip the room-temperature butter in a bowl. Mix in the sour cream, chopped eggs and seasoning. Serve the pies hot or cold. Enjoy an authentic Karelian taste!

☛ Use local short-grain rice or Arborio rice used for risotto.

☛ If stored in an airtight container, the pies will keep well in the freezer.

Poronkäristys elik pruunistatud põhjapõdrahautis

See on ehe Lapimaa roog, ent soomlased ütlevad, et see on ka üks kõige armastatumaid toite terves Soomes. Pärast järjekordset Lapi retke Helsingisse tagasi jõudnud, märkasin tõepoolest ka pealinna söögikohtade reklaamides *poronkäristys*'t üsna tihti. Ja kuigi erilise ja võõragi maitsega, meeldis see roog ka eestlastest matkajatele imehästi. Ärmal olen seda ka peaministrile ja tema julgestusmeeskonnale teinud – mitte ribakestki ei jäetud järele!

. . .

Kraam

- 800 G POROLIHA, VÄGA ÕHUKESTEKS (0,5 MM) VIILUDEKS LÕIGATUD
- 50 G HEAD TALUVÕID PRAADIMISEKS
- 300 ML VETT VÕI ÕLUT
- 2 SIBULAT, HAKITUD
- 1,5 TL PEENT MERESOOLA
- VÄRSKELT JAHVATATUD MUSTA PIPART
- SOOVI KORRAL KASTME PAKSENDAMISEKS 1–2 SPL JAHU
- VÄRSKEID MURAKAID VÕI POHLI (SAAB KA ILMA)

Pruunista poroliha võis. Ära heitu, liha läheb päris palju kokku, viiludest saavad ribad ja krussid, see on normaalne! Lisa hakitud sibul ja kuumuta nõrgal tulel paar minutit. Lisa vesi või õlu (tume on parem), maitsesta soola ja pipraga ning lase kaane all tasakesi umbes tund aega haududa. Kui sulle meeldib paksem kaste, lahusta jahu väheses vees ning sega hautise hulka.

Serveeri kartulipudruga. Kõrvale sobib pohla- või murakakaste, värskeid metsamarju võib ka otse hautisesse segada – nende maitse sobib selle lihaga oivaliselt. Paku juurde metsaseeni, marineeritud kurki ja peeti ning tõeline lapimaine hõrgutav lõuna- või õhtusöök ongi valmis!

☛ Poro- ehk põhjapõdraliha erineb meie metsade põdra lihast suurema mahlakuse poolest. Kui põtra peaks küpsetamisel pekiga pikkima, siis poro puhul seda vaja pole. Seetõttu ei tule see roog meie põdra lihast nii maitsev, aga võid katsetada metsseaga!

☛ Eestisse toob poroliha Adaveres asuv Chef-Foods ja *poronkäristys*'e jaoks saab osta valmisviilutatud liha.

Poronkäristys

Poronkäristys

Poronkäristys or sautéed reindeer stew

This is an authentic Lapland dish, but Finns say that it is also one of the most beloved dishes throughout Finland. After arriving back in Helsinki, from another trip to Lapland, I noticed that the eateries in the capital often advertised *poronkäristys*. And although it has quite a special, and even strange, taste, the Estonian travellers really enjoyed this dish. At Ärma Farm, I have also served this to the prime minister and his security team – there's never a single leftover!

...

Serves 6

- 800 G REINDEER MEAT, SLICED INTO VERY THIN (½ MM) SLICES
- 50 G GOOD FARMER'S BUTTER FOR FRYING
- 300 ML WATER OR BEER
- 2 ONIONS, CHOPPED
- 1½ TSP FINE SEA SALT
- FRESHLY GROUND BLACK PEPPER
- IF YOU WISH, YOU CAN USE 1–2 TBSP OF FLOUR TO THICKEN THE SAUCE.
- FRESH CLOUDBERRIES OR LINGONBERRIES (OPTIONAL)

Sauté the reindeer meat in butter. Don't be alarmed that the meat will shrink quite a bit, so that the slices will become strips and coils. This is normal! Add the chopped onion, and simmer at low heat, for a few minutes. Add the water or beer (dark beer is the best). Season with salt and pepper. Cover, and let it stew for about an hour. If you like thick sauce, dilute some flour in a little water, and mix into the stew.

Serve with mashed potatoes. Lingonberry or cloudberry sauce is also a good addition. You can mix fresh wild berries into the stew – their taste is a wonderful accompaniment to the meat. Serve wild mushrooms, marinated pickles and beets as side dishes, and you have an authentic and delicious Lapland luncheon or dinner!

☞ *Poro*, or reindeer meat, is more succulent than our Estonian wild elk meat. If elk meat has to be larded before cooking, reindeer meat does not. Therefore, this dish is not as delicious if prepared with our elk meat, but you can try wild boar!

☞ Reindeer meat is imported into Estonia by Chef-Foods located in Adavere, and pre-sliced meat for *poronkäristys* is available.

Kohalik ja kodune Eesti

Eurostati andmetel on meilgi keskmisest hoopis enam ruumi, kõigest 30,9 inimest peab end mahutama ühele ruutkilomeetrile. Kokku on meid vaid 1,34 miljonit. Hoidkem üksteist!

Kui ma teel Vodjale Belgia kuningannale seletasin, et tegelikult on väikses Eestis palju eri kultuure, igas oma keel, eriline loodus, rahvariided, toit ja stiil, oli ta üllatunud. Aga ta sai aru, et ma pidasin silmas meie oma rahva harusid: setusid, saarlasi, virulasi, mulke jt. See mõte pealt tillukesest, seest suurest maast, mis on aknast vaadates küll tühi, ent seda põnevamaid inimesi täis, meeldis talle nii, et ta tuli varsti tagasi. Sedakorda *inkognito*, et saaks rahulikult ringi vaadata. Tollest „salavisiidist“ jäi mulle mälestuseks itaalia meistrite valmistatud portselanist kommikarp, sees Belgia hunnitu šokolaad. Alati, kui sellest karbist kommi pakun, meenub mulle, et kuninganna Paola on itaalia printsess ja oskab ilu ja maitseid kõrgelt hinnata. Meie maitsed meeldisid talle väga. Moodne Eesti köök on osa Põhjala toidumaailmast. Nii oleme noore tegijana oma maailmavallutusretkel alles alguses. Ongi vahva – igaüks saab ise öelda, mis on see eriline eestilik maitse. Minu jaoks kohakala, kukeseened, kohupiim ja metsmaasikad. *Head isu!*

Local And Homey Estonia

According to Eurostat data, we too have much more space than average – only 30.9 people have to fit into one square kilometre. We total just 1.34 million people. Let's take care of each other!

When, on the way to Vodja, I explained to the Queen of Belgium that, actually, little Estonia has many different cultures, each with its own language, nature, folk costumes, food and style, she was surprised. But she understood that what I meant was the different branches of our people: *setud*, *saarlased*, *virulased*, *mulgid* and others. She liked this idea of a country that was small on the outside but large on the inside; which seemed empty when looking out the window, but was actually filled with interesting people. She soon made a return visit. This time, incognito, so she could look around in peace. A souvenir of this "secret visit" is a porcelain candy box produced by Italian master craftsmen, filled with splendid Belgian chocolates. Whenever I serve candies from this box, I am reminded that Queen Paola is an Italian princess, who knows how to appreciate beauty and tastes. She liked our tastes very much. Modern Estonian cuisine is part of the Nordic culinary world. Thus, as a new player, we are just starting our invasion of the world. And that's great – it means each of us has a say in what the special Estonian taste is. For me, it is pike perch, chanterelles, cheese curd and wild strawberries. *Head isu!*

Imre Sooääre* suvine tomati-kurgisalat

Imrega läheb jutt ikka kokkamise peale. Mida aeg edasi, seda põnevamaid lugusid temalt tuleb – küll vahetavad nad Pädastes uue Põhjala köögi loomise kogemusi mullu maailma parimaks restoraniks valitud taanlaste Noma kokkadega, küll filmib ta ise lähivõtetega metsaandide metamorfoosi tipptasemel *gourmet*'ks. Ent lemmikud on ikka need kõige lihtsamad maitsed.

Selle kõigile eesti emadele üdini tuttava salati retsepti mõtles Imre välja seitsmeaastaselt, olles avastanud nüansi, mis salatile sõltuvust tekitava mõnusa maitse annab.

„Panin tähele, et mida kauem värske tomati-kurgi salatit hapukoorega segada, seda maitsvamaks see läks. Roosakaks muutuv värv andis tunnistust sellest, et hapukoorele meeldib tomatiga sõbruneda ja natuke tomatist maitset endasse tõmmata. Kuna alati pole aega 20 minutit segada, siis avastasin, et purustatud tomat on võluvits, mis selle salati ülimaitsvaks teeb," avab Imre otse ujula trepil seistes lahkelt oma saladuse.

...

Neljale

- 2 OSA HÄSTI LÕHNAVAID VÄRSKEID EESTIMAISEID SUVISEID TOMATEID (NT 400 G)
- 2 OSA VÄRSKET KURKI OMA AIAST, KUI VÕIMALIK (NT 400 G)
- 1 OSA HAPUKOORT (NT 200 G)
- VÄRSKET TILLI, PIPART, SOOLA

Eemalda tomatitelt puine varre kinnitumiskoht ja lõika tomat sektoriteks. Purusta viiendik tomatikogusest saumikseriga või köögikombainis püreeks. Sega tomatipüree hapukoorega ja maitsesta soola ning pipraga. Sega kõik ained omavahel kergelt kokku ja maitsesta värske tilliga. Soovi korral võib lisada ka hakitud rohelist sibulat. Serveeri grillitud või ahjus küpsetatud liha või kalaroogade juurde või paljalt koduse rukkileivaga. Mmmmm...

☛ Kergema ja tervisliku toidu austaja salatisse sobib hapukoore asemel Pajumäe talu Miksiko või lihtsalt maitsestamata jogurt.

---

* *Imre Sooäär on Eesti Vabariigi Riigikogu 2007–2011 ja 2011... koosseisu liige ja Muhu saarel asuva Pädaste viietärni-mõisahotelli looja ja omanik. Helilooja on ta ka.*

Suvine tomati-kurgisalat

Summery tomato and cucumber salad

Imre Sooääre's*
summery tomato and cucumber salad

With Imre, the conversation always turns to cooking. As times goes on, the more interesting his stories become. Now, he is at Pädaste, exchanging thoughts about creating a new Nordic cuisine with the chefs from the Danish Noma restaurant, which was chosen as the world's best restaurant last year. Now, he is filming close-ups of the metamorphosis of wild forest products into gourmet dishes. However, the simplest tastes are still his favourites.

Imre invented this recipe for a salad that is thoroughly familiar to every Estonian mother, when he was seven years old and he discovered a nuance that gives the salad an addictively good taste.

"I noticed that the longer a fresh tomato and cucumber salad was mixed with sour cream, the tastier it became. The increasingly pinkish colour showed that the sour cream likes becoming friends with the tomatoes, and absorbing some of their taste. Since we don't always have time to mix the salad 20 minutes in advance, I discovered that crushed tomatoes are the magic wand that makes this salad super tasty," Imre graciously reveals his secret, while standing on the pool steps.

...

Serves 4

2 PARTS	FRAGRANT, FRESH ESTONIAN SUMMER TOMATOES (E.G. 400 G)
2 PARTS	FRESH CUCUMBERS, FROM YOUR OWN GARDEN IF POSSIBLE (E.G. 400 G)
1 PART	SOUR CREAM (E.G. 200 G)

FRESH DILL, PEPPER, SALT

Remove the stem ends of the tomatoes. Cut them into sectors. Crush one-fifth of the tomatoes with a hand blender or good processor into a purée. Mix the tomato purée with sour cream and season with salt and pepper. Toss all the ingredients together and season with fresh dill. If you wish, you can also add chopped green onion. Serve with grilled or oven-roasted meat or fish dishes, or by itself, with home-made rye bread. Mmmmm ...

☛ When making the salad for people who like lighter and healthier food, substitute Miksiko, or unflavoured yoghurt for the sour cream.

* *Imre Sooäär was a member of the Estonian parliament, from 2007 to 2011 and again from 2011. He is also the founder and owner of the 5-star Pädaste Manor Hotel, on the island of Muhu. He is also a composer.*

Kihnu memmede kolme tassi sai

Meie visiit Kihnu* oli kirev nagu triibuline kört. Küll oli seal laulu, pillimängu ja tantsu. Isegi mina sain Kihnu Virve seltsis kohalikud rahvalikud tantsusammud selgeks. Sellel saarekesel elavad traditsioonid sama loomulikult nagu sadu aastaid tagasi ning kõik oma kätega tehtu on seni au sees – nii seljas kui ka menüüs. Sai tundus seal iseäranis hea ja ma sain rõõmsasti memmedelt retsepti kingiks.

. . .

4 pätsi

3 TASSI	SOOJA VETT
150 G	VÕID
1 SPL	MERESOOLA
5 SPL	SUHKRUT
3 TASSI	PIIMA
2 KG	NISUJAHU
2 PAKKI	KUIVPÄRMI VÕI 100 G VÄRSKET + 1 SPL SUHKRUT
VÄRVIKS	SAFRANIT, KUI ON

Pane vesi pliidile sooja, lõigu sisse või, suhkur, meresool. Lase sulada. Võta tulelt, sega 3 tassi külma piimaga, nüüd on segu toasoe. Hõõru pärm 1 spl suhkru ja vähese piimaga vedelaks, vala juurde ülejäänud piim (+ safran) ja sõtku sisse jahu. Tainas peab ilus sitke ja sile saama, selle sõtkumine võib olenevalt tujust ja ilmast 10–20 minutit võtta. Pane sooja kohta kerkima ja klopi vähemalt kolm korda alla.

Vormi kätega 4 pätsi. Lase veel räti all 15 minutit kerkida. Küpseta 220 °C juures 6–7 minutit, edasi 160 °C juures 45 minutit. Määri kuumad pätsid pealt võiga, siis hakkavad nad uhkelt läikima. Koorik on sama hea kui prantsuse või itaalia saiadel. Naudi toidu juurde või lihtsalt moosi ja piimaga!

---

* *President külastas Kihnu saart 2008. aasta juunikuus.*

The Kihnu grannies' three-cup white bread

Our visit to the island of Kihnu* was as colourful as a striped Kihnu skirt. There was singing, dancing, and music making. I even learned the local folk dance steps, guided by Kihnu Virve. Traditions live on this small island as naturally as a hundred years ago. Everything handmade is still respected here – whether for wearing or eating. The white bread on the island seems especially good, and I was happy to get the recipe from the local women.

. . .

4 loaves

3 CUPS	WARM WATER
150 G	BUTTER
1 TBSP	GROUND SEA SALT
5 TBSP	SUGAR
3 CUPS	MILK
2 KG	RYE FLOUR

2 PACKAGES DRY YEAST OR 100 G FRESH YEAST + 1 TBSP SUGAR

SAFFRON FOR COLOUR, IT YOU HAVE IT.

Heat the water on the stove. Add the butter, sugar and sea salt. Let it melt. Remove from the heat, and mix in the 3 cups of cold milk, cooling the mixture to room temperature. Rub the yeast, with 1 tbsp of sugar and a little milk, into a liquid. Add the remaining milk (+ saffron), and knead in the flour. The dough should be elastic and smooth. Kneading it can take 10 to 20 minutes, depending on your mood and the weather. Put in a warm place to rise, and punch down at least three times.

Form three loaves by hand. Let them rise for another 15 minutes, under a towel. Bake at 220 °C, for 6 to 7 minutes; thereafter, reduce the heat to 160 °C, for another 45 minutes. Brush the hot loaves with butter, to make them shine. The crust is just as good as those of French and Italian breads. Enjoy with a meal, or with jam and milk!

* *The president visited Kihnu Island in June 2008.*

ERMA PARK

Kiideva kilurullid

Kiideva on väike küla Läänemaal, kus tehakse suuri asju. Kui unistad ja tegutsed, võib su kodukotus ükskord kui muinasjutumaa olla. Aasta ringi elab Kiideval kõigest 44 inimest, ent suvel on kõik 64 talu sagimist täis. Rannarahvas oskab iseäranis hästi kaladega ringi käia. Nii maitsesimegi külavanema kodus maailma parimaid marineeritud räimesid. Selle imelihtsa retsepti sain oma kunagiselt kooliõelt, kes tollele mehisele külavanemale juba õige kaua kauniks kaasaks on olnud. Üle mitmekümne aasta ootamatu kohtumine Aasta Külas 2009 tegi sellest külastusest unustamatu mälestuse.

. . .

100 PUHASTATUD KILU VÕI RÄIME (LUUD SEES), UMBES 1,5–2 KG

MARINAAD

1 L KÜLMA KEETMATA VETT
6 SPL (KUHJAGA) JÄMEDAT MERESOOLA
6 SPL SUHKRUT
6 SPL ÄÄDIKAT

KUI SUL ON KILUD, PANE KÕIKI AINEID 3 SPL.

Võta 100 puhastatud kala, pane marinaadi, lase ööpäev marineeruda, siis puhasta – selgroog tuleb nüüd kergesti välja! Keera rulli, aseta karpi või purki vaheldumisi kiht räimi, peeneks hakitud sibulat, küüslauku, värsket tilli, natuke õli, nii kiht-kihilt. Järgmisel päeval on sul õrnsoolane imeline suutäis. Naudi värske keedukartuli või koduse rukkileivaga. Hapupiim sobib ka sinna kõrvale.

See soolane maius seisab nõnda vähemalt paar nädalat.

Kiideva marinated sprat rolls

Kiideva is a small village in Lääne County, where they do big things. If you dream and then act, your home can become a fairytale land someday. Only 44 people live in Kiideva year-round, but in the summer all 64 farms are filled with activity. Coastal people are very good with fish. Thus, we tasted the world's best marinated Baltic herring in the village elder's home. I got this super-easy recipe from my onetime classmate, who has been married to this manly village elder for some time already. Meeting her unexpectedly after a few decades in the 2009 Village of the Year made this visit an unforgettable experience.

...

100 GUTTED SPRATS OR BALTIC HERRING (WITH THE BONES), ABOUT 1½ TO 2 KG

MARINADE

1 LITRE COLD, UNCOOKED WATER
6 TBSP (HEAPING) COARSE SEA SALT
6 TBSP SUGAR
6 TBSP VINEGAR

IF YOU ARE USING SPRATS, USE 3 TBSP OF ALL THE INGREDIENTS.

Put the 100 gutted fish in the marinade. Let marinate for 24 hours, then debone – now the spine can be removed easily! Roll each fish up and place in a can or jar alternating layers of fish with finely chopped onion, garlic, fresh dill, and a dash of oil. Repeat layer by layer. On the next day, you'll have a wonderful, delicately salty mouthful. Enjoy with boiled new potatoes, or homemade rye bread. A glass of buttermilk is also a wonderful addition.

This salty delicacy can be stored for at least a couple of weeks.

Marineeritud angerjas

Omatehtud on ikka hoopis teine asi, kui poest toodud, rääkis too Peipsi vanaema. Tehastes ei puhastatavat kala õigesti ja sellepärast jäävat neile miski kõrvalmekk manu. Tõsi, angerja puhastamine on omaette ooper. Kui mulle esimest korda need kalad kraanikaussi kallati, hakkasid nad sealt ükshaaval välja vingerdama ja mina esimesel korral peale ei jäänudki. Ent Kasepäält vene vanausuliste perest pärit Veronika vanaema retsepti järgi marineeritud angerjas tuleb maailma parim.

...

Umbes 5-le angerjale

MARINAAD

1 L	VETT
5–6 SPL	ÄÄDIKAT (MINA PANIN VALGE VEINI ÄÄDIKA POOLEKS 30% LAUAÄÄDIKAGA)
1 SPL	MERESOOLA
1 SPL	HELEDAT SUHKRUT
3	LOORBERILEHTE
15 TERA	PIPART (5 VALGET, 10 MUSTA)
15 TERA	VÜRTSI

Keeda marinaad valmis, pane 5 cm pikkused kalatükid marinaadi sisse ja keeda 10–15 minutit (pane ka kalapead ja sabad keeduvette). Kala võid enne marineerimist korraks triibupannile visata, siis saad ilusad triibud peale. Jälgi, et marinaadi oleks minimaalne kogus, nii et vaevalt katab kalad – siis saad korraliku kallerdise. Kuum kala pista koos marinaadi ja maitseainetega kuuma purki ja kaas peale. Seisab rahulikult aasta külmkapis. Rammus rohke maitsenüansiga roog. Teadagi, mida Peipsi ääres selle kõrvale pakutakse – valget mehist napsi.

☞ Mina lisasin marinaadile veel koriandriseemneid ja sidrunilõike.

Marinated eels

Something you make yourself is very different from something store-bought, the Peipsi grandmother told us. They do not gut the fish properly in the factories, and therefore, a strange taste remains. Of course, cleaning eels is a totally different thing. The first time these fish were poured into my kitchen sink, they started to squirm out one by one and I had to acknowledge defeat. However, Veronika, who comes from a family of Russian Old Believers in Kasepääa, gave me her grandmother's recipe for marinated eels, which are the world's best.

. . .

For about 5 eels

MARINADE

1 LITRE	WATER
5–6 TBSP	VINEGAR (I USED HALF WHITE WINE VINEGAR AND HALF 30% TABLE VINEGAR)
1 TBSP	GROUND SEA SALT
1 TBSP	WHITE SUGAR
3	BAY LEAVES
15	PEPPERCORNS (5 WHITE, 10 BLACK)
15	ALLSPICE CORNS

Prepare the marinade. Put 5-cm long pieces of eel into the marinade, and cook for 10–15 minutes (also include the heads and tails). Before marinating, you can throw the fish onto a hot ribbed pan – to make nice grilling stripes on the fish. Only a minimum amount of marinade should be used, so the fish are barely covered. Then you will get a proper jelly. Put the hot fish, along with the marinade and seasoning, into a hot jar, and seal. Can easily be stored, for a year in the refrigerator. A rich dish with lots of taste nuances. Naturally, on the Peipsi shore, manly vodka is served with this dish.

☛ I also add coriander seeds and lemon slices to the marinade.

Abruka kalasupp

Kui mõtlen Abrukale, siis esimesena meenub mulle armunud noorpaar, kes oma äsja sündinud lapselt pilku ei saanud. Nad hoidsid maimukest kahekesi korraga, vaatasid teda ja teineteist ning selles oli midagi muinasjutuliselt lummavat. Intiimsust, aga ka avatust, sügavust ja kergust. Meid, riigipea kaaskonda ja vastuvõtvaid kohalikke, nad nägid ja ei näinud ka. Nad tõstsid pilgu ja naeratasid – kogu kõiksusele. Samamoodi mõjus ka kilomeetrite pikkune lehtpuude all kulgev kitsas kruusatee, mis kohe pidi kuhugile väga erilisse paika jõudma. Tolles ilusas majas pakkusid ilusad inimesed oma ilusat suppi, mis oli tõesti eriliselt hea.

. . .

Ainekad

PULJONG

1 L VETT
2 AHVENAT VÕI 1 LÕHE/FORELLI SUPIKOGU
1 KARTUL
1 PORGAND
1 SIBUL
3 KÜÜSLAUGUKÜÜNT
MAITSETAIMI
VALGET PIPART

1 KESKMINE ANGERJAS
2 SIBULAT
4 KÜÜSLAUGUKÜÜNT
1 PORGAND
ÕLI PRAADIMISEKS
2–3 SIDRUNIVIILU
VÄRSKET TILLI, PETERSELLI
SOOLA

Keeda puljong ahvenast või lõhest või mõlemast. Selleks pane vette kalapea, selgroog, saba, ahvenate puhul terved puhastatud kalad, lisa kartul, porgand, sibul, küüslauguküüned – kõik pestud ja koorimata –, valget terapipart, vürtsi, loorberileht. Kui on, siis ka tillivarsi, peterselli- ja sellerivarsi – kuivanud või värskeid. Keeda puljongit tasasel tulel vähemalt 1 tund.

Kuni puljong keeb, tükelda angerjas 1 cm paksusteks tükkideks. Koori sibulad ja küüslauguküüned ning viiluta. Koori ja riivi jämeda riiviga porgand. Kuumuta madalal tulel väheses õlis küüslauk ja sibul helekuldseks ning lisa kuumale, puhtaks kurnatud ja uuesti tasakesi keevale puljongile, pane juurde samal pannil kergelt kuumutatud porgand. Keeda 5–10 minutit, porgand on veel natuke krõmps. Lisa angerjas, keeda veel 5–10 minutit, et kalaliha oleks piimjalt valge. Koos angerjaga pane potti ka sidruniviilud. Maitsesta meresoolaga. Valmis suppi kaunista värske tilli, peterselli ja/või koriandriga ning värskelt jahvatatud valge pipraga. Supi kõrvale sobib kodune rukkileivaviil munavõi ja rohelise sibulaga.

Abruka fish soup

When I think of Abruka, the first thing I remember is a romantic young couple who could not take their eyes off their newborn. They held the little one together, looked at the baby and each other. There was something marvellously enchanting about this. Intimacy, but also openness, deepness and levity. They looked at, but did not see us – the head of state's retinue and the locals who had come to greet us. They looked up and smiled – to the entire universe. The kilometre-long narrow gravel road lined with deciduous trees, which was supposed to bring us to a very special place, had the same effect. In that beautiful house, beautiful people served a beautiful soup which was especially delicious.

. . .

Serves 4

BOUILLON

- 1 LITRE WATER
- 2 PERCH OR SOUP BONES OF 1 SALMON/TROUT
- 1 POTATO
- 1 CARROT
- 1 ONION
- 3 CLOVES OF GARLIC
- HERBS, ALLSPICE, BAY LEAF
- WHITE PEPPERCORNS

- 1 MEDIUM-SIZE EEL
- 2 ONIONS
- 4 CLOVES OF GARLIC
- 1 CARROT
- OIL FOR FRYING
- 2–3 LEMON SLICES
- FRESH DILL, PARSLEY
- GROUND SEA SALT

Cook the bouillon from the perch or salmon, or both. To do this, put the fish head, tail and spine of the salmon/trout in the water. With the perch, use the whole gutted fish. Add the potato, carrot, onion and cloves of garlic – all washed and unpeeled. Also add the white peppercorns, allspice, and bay leaf; Also fresh or dried dill stalks, parsley stalks and celery stalks, if available. Simmer the bouillon for at least an hour on low heat.

While the bouillon cooks, cut the eel into 1-cm-thick pieces. Peel the onion and cloves of garlic. Slice them both. Peel and grate the carrot with a coarse grater. Put the garlic and onion in a pan with the oil and heat on low heat until golden. Add slowly to the hot simmering bouillon, which has been strained and reheated. Add the carrot that has been slightly heated on the same pan. Cook for 5 to 10 minutes. The carrot should still be crunchy. Add the eel and cook another 5 to 10 minutes until the fish meat turns milky white. Put the lemon slices in the pot along with the eel. Season with sea salt. Garnish the soup with fresh dill, parsley and/or coriander, as well as freshly ground white pepper. Serve a slice of homemade rye bread with egg butter and green onion with the soup.

Küpsetatud karpkala *à la* Rain Pikand*

„Fantastilised asjad koosnevad lihtsatest asjadest," kirjutas Rain kord ajalehes. Enam ei mäleta, mille kohta, aga see polegi tähtis, sest see tõde kehtib ju kõikjal. Ka toidu puhul. Kuidas kodumaisest karpkalast soodsalt ja kiiresti hõrgu roa saab, õpetas ta mulle käigu pealt kaupluse kalaleti ees, kui koos eksootilisi mereelukaid silmitsesime ja äkki sinna hunnik värskeid kohalikke karpkalu toodi.

. . .

Kahele-kolmele

1 KESKMINE SOOMUSTETA KARPKALA
1 SUUR PORRU
1 SIDRUN
PEOTÄIS ROHELISI ÜRTE (TÜÜMIANI, PETERSELLI, TILLI, KORIANDRIT, ROSMARIINI – MIDA KODUS ON)
MERESOOLA JA VALGET PIPART
SUTS OLIIVIÕLI VÕI VÕID

Haki porru ja kuumuta kergelt võis läbi. Pane kala kõhtu ürdid ja paar sidruniviilu ning topi sinna kogu hakitud porru. Raputa kalale meresoola ja tilguta õli või pane võilaastud. Küpseta 175 °C juures ahjus umbes 30 minutit.

Serveerimisel piserda kalale värsket sidrunimahla ja jahvata valget pipart. Serveeri kõrvale kõhust välja võetud porru. Ülimaitsev, lihtne ja odav!

* *Rain Pikand on agentuuri Divisjon loovjuht.*

Küpsetatud karpkala

Baked carp

Baked carp *à la* Rain Pikand*

"Fantastic things are comprised of simple things," Rain once wrote in the newspaper. I don't remember what he was talking about, but that's not important, because this truth applies to everything, also to food. Rain taught me how to make a delicious meal out of our local carp while we were standing at the fish counter in a store, where we were eyeing the exotic marine life and suddenly a heap of fresh local carp was delivered.

. . .

Serves 2 to 3

- 1 MEDIUM-SIZE SCALED CARP
- 1 LARGE LEEK
- 1 LEMON
- HANDFUL OF GREEN HERBS (THYME, PARSLEY, DILL, CORIANDER, ROSEMARY – WHATEVER YOU HAVE AT HOME)
- GROUND SEA SALT AND WHITE PEPPER
- DASH OF OLIVE OIL OR BUTTER

Chop the leek and heat slightly in the butter. Put the herbs and a few lemon slices in the stomach cavity and stuff with the chopped leek. Sprinkle the fish with sea salt and dribble oil or add a few dabs of butter. Bake at 175 °C for about 30 minutes.

To serve, sprinkle the fish with lemon juice and ground white pepper. As a side dish, serve the leek that was baked in the fish. Very tasty, simple and inexpensive!

* *Rain Pikand is the Creative Director of the Division advertising agency.*

Muhu lomat lihad

Ka kõige peenemate kokkade lemmikroad on enamasti lihtsamast lihtsamad. Need, mis valmistatakse oma aias kasvatatust või metsast nopitust. Kui nende armsaimate maitsete jälgi ajame, jõuame kultuurist sõltumata ikka ühte ja samasse kohta välja: vanaemade juurde. Muhu lomat lihad on Pädaste* Imre vanaema retsept.

. . .

Neljale

4 OSA (NT 1 KG) METSSEA-, PÕDRA- VÕI LÄBIKASVANUD SEALIHA (KAELATÜKK SOBIB KÕIGE PAREMINI)
1 OSA (NT 250 G) VALGET SIBULAT
HEAD TALUVÕID
RIIVSAIA
MERESOOLA
VÄRSKET MUSTA PIPART
SOOVI KORRAL VÄRSKET HAKITUD KÜÜSLAUKU

Lõika liha 1,5 cm paksusteks viiludeks, klopi kergelt lihahaamriga, et lihakiude pehmendada (ära tambi õhukeseks nagu Viini šnitsli puhul). Maitsesta liha soola ja pipraga mõlemalt poolt. Kasta lihatükid riivsaia sisse ja prae kuumal pannil võiga mõlemalt poolt kuldpruuniks.

Lõika sibul ribadeks ja prae madalal kuumusel pannil kergelt klaasjaks. Soovi korral võid lisada ka veidi hakitud küüslauku. Aseta lihatükid paksu ahjupotti kihiti sibulaga. Vala üle veega, nii et liha on parasjagu kaetud, ja kata pott kaanega.

Küpseta 180 °C-ni eelsoojendatud ahjus umbes tund kuni poolteist, kuni liha on pehme.

Serveeri suvise tomati-kurgisalati ja ahjus meresoolas küpsetatud või aurutatud värske kartuliga. Muhumaine ja ebamaine!

* *Muhu saarel asuv Pädaste mõisahotell on ainus maapiirkonna viietärnihotell siinkandis.*

Muhu Island beef

The greatest favourites of the finest chefs are usually the simplest of the simple. Things that are prepared from ingredients grown in your own garden or those picked in the forest. Regardless of the culture, when we trace the origins of these most beloved tastes, we arrive at one and the same people – grandmothers. This recipe for Muhu beef comes from Pädaste* Imre's grandmother.

. . .

Serves 4

4 PARTS (FOR EXAMPLE, 1 KG) WILD BOAR, ELK OR LEAN PORK (PORK SHOULDER IS BEST)
1 PART (FOR EXAMPLE, 250 G) WHITE ONIONS
GOOD FARMER'S BUTTER
GRATED BREAD
GROUND SEA SALT
FRESHLY GROUND BLACK PEPPER
IF YOU WISH, ADD FRESHLY CHOPPED GARLIC.

Cut the meat into 1½-cm-thick slices. Tenderize somewhat with a meat mallet, to soften the fibres (do not pound into thin pieces like for Wiener schnitzel). Season the meat with salt and pepper on both sides. Dip the pieces of meat into the grated bread and fry in butter on both sides until golden brown.

Cut the onion into strips and dry on low heat until slightly glazed. If you wish, you can add some chopped garlic. Layer the pieces of meat and onion into a thick oven pot. Pour in enough water to cover the meat and cover the pot.

Bake in an oven that has been preheated to 180 °C for 60 to 90 minutes, until the meat is tender.

Serve with a summery tomato and cucumber salad and new potatoes steamed or baked with sea salt. Muhu-style and heavenly!

* *The Pädaste Manor Hotel is the only rural 5-star hotel in the area.*

Kadri Keiu kaeraküpsised

Kadri käib koolis kokandusringis ja ükskord tekkis tal suur isu proovida portaalist Lastekas.ee pärit Jussi kaeraküpsiste retsepti. Tegime selle koos põnevamaks ja tervisesõbralikumaks ning lapsele jõukohane ja kõigile maitsev suupiste oligi sündinud.

. . .

20 tükki

2 MUNA
½ KL HELEDAT ROOSUHKRUT
3 KL JÄMEDAID KAERAHELBEID
100 G SULATATUD VÕID
1 RIIVITUD VÄHEKÜPS BANAAN
SOOLA
VANILLSUHKRUT
PÄHKLI-LINASEEMNEPURU
MANDLILAASTE
TILGAKE SIDRUNIÕLI (SAAB KA ILMA)
VAJADUSE KORRAL PAAR SPL NISUJAHU

Vahusta 2 muna suhkruga. Teises kausis sega kaerahelbed sulavõiga, lisa pähklipuru, vanill, sool ja riivitud banaan. Maitsesta sidruniõliga. Sega kõik puulusikaga kokku, kata ahjuplaat küpsetuspaberiga ja tõsta teelusika abil sellele pätsikesed. Küpseta 175 °C ahjus umbes 10 minutit või kuni pätsid on kuldpruunid.

Puista peale tuhksuhkrut ja naudi külma värske maapiimaga.

☛ Õhukindlalt suletud karbis säilivad värskena nädalaid, kui enne otsa ei saa.

Kadri Keiu's oatmeal cookies

My daughter Kadri is a member of the cooking club at school and she once developed a great urge to try the recipe for Jussi's oatmeal cookies that she had found on the Lastekas.ee web portal. Together we made it more interesting and healthier – an easy-to-make snack for the whole family was born.

...

About 20 cookies

- 2 EGGS
- ½ CUP WHITE ROSE SUGAR
- 3 CUP COARSE OATMEAL
- 100 G MELTED BUTTER
- 1 GRATED UNRIPE BANANA
- SALT
- VANILLA
- CHOPPED-NUT AND LINSEED MIXTURE
- ALMOND SLIVERS
- DROP OF LEMON OIL (OPTIONAL)
- ADD A FEW TBSP OF WHEAT FLOUR IF NECESSARY.

Whip 2 eggs with sugar. In a second bowl, mix the oatmeal with the melted butter. Add the nut mixture, vanilla, salt and grated banana. Season with lemon oil. Mix everything with a wooden spoon. Cover a baking sheet with baking paper. With a teaspoon place scoops of dough on the baking sheet. Bake at 175 °C for about 10 minutes, or until the cookies are golden brown.

Sprinkle with powdered sugar and enjoy with fresh cold farmer's milk.

☛ When stored in an airtight box, the cookies stay fresh for weeks, if they are not eaten first.

Katrin Sangla* kohupiimataskud

Olin ikka imestanud, kuidas neid seest tühje tuuletaskuid tehakse ja kuidas see maitsev sisu veel sinna saab – nähtavat teed ju ei tuvasta. Kui aastane Robi köögilaua ääres juba järgmise tasku võttis, ütles Kats: ise tegin, puhas kraam, las laps naudib. „Oo, tahan ka!" hüüdsin mina jalalt jalale hüpates ja sain sealsamas ka tegemise õpetuse kaasa. Uskumatu, et selline imeasi nii lihtne ja lõbus teha on. Kui paned kõik asjad õiges järjekorras, saad olla tunnistajaks, kuidas kommisuurusest munast ahjus õhku täis „rusikas" saab. Lausa ime!

. . .

20 tükki

KEEDUTAINAS

- 3 DL VETT
- 3 DL NISUJAHU (UMBES 180 G)
- 80 G VÕID
- 4 MUNA
- ½ TL PEENT MERESOOLA

TÄIDIS

- 400 G *RICOTTA*'T
- 2 DL PAKSEMAT KOHUPIIMAKREEMI
- 1 DL SUHKRUT (UMBES)
- VANILLSUHKRUT
- SIDRUNIMAHLA, KUI MEELDIB

Pane vesi, või ja sool koos tulele. Kui see keema tõuseb, lisa korraga kogu jahu ja sega kiirelt, kuni moodustub tainapall, kuhu lisa ükshaaval munad. Tainas peab olema läikiv. Siis tõsta lusikaga ahjuplaadile tainamummud ja lase küpseda 220 °C juures 10 minutit ja seejärel 10–15 minutit 200 °C juures. Vahepeal ahju ust avada ei tohi, lase ka valmis taskutel veidi jahtuda ahjus.

Täidiseks sega kõik ained lihtsalt kokku. Võid teha voldikese vahele augu ja panna kreemi pritsiga. Võid ka „kaane" ära lõigata ja siis kohupiimaga täita. Pärast pane kaas tagasi. Kats lisab juurde, et „võid panna ka tumedama jahu ja roosuhkru, mina ju vaatan, et oleks „öko"". Miks mitte! Raskeks muutunud tasku on tõeline mõnu- ja energiapomm.

☛ Kreemiks sobib ka kohupiim *mascarpone*'ga või mõne muu toorjuustuga.

☛ Magustada sobib aga vahtrasiirupi või meega ja tilga Vana Tallinnaga.

☛ Võid ka soolase kreemi teha, näiteks *ricotta* ja kiluga või singi, toorjuustu ja murulauguga.

* *Katrin Sangla on jumestuskunstnik.*

Katrin Sangla's* cottage cheese "pockets"

I am still amazed by how these hollow doughnuts are made and how the tasty filling gets inside – there seems to be no way in. When Katrin's year-old son Rob took another doughnut from the kitchen table, she said, "I made them myself, pure stuff. Let the kid enjoy them." "I want one too!" I shouted jumping up and down and was immediately given the instructions for how to make them. It's unbelievable that such a marvel is so simple and easy to make. If you put all the ingredients in the proper order, you can witness how a candy-size egg turns into an air-filled "fist" in the oven. An absolute miracle!

. . .

About 20 pockets

DOUGH

- 3 DL WATER
- 3 DL WHEAT FLOUR (ABOUT 180 G)
- 80 G BUTTER
- 4 EGGS
- ½ TSP FINE SEA SALT

FILLING

- 400 G RICOTTA
- 2 DL THICK CREAMY COTTAGE CHEESE
- 1 DL SUGAR (APPROXIMATELY)
- VANILLA SUGAR
- LEMON JUICE (OPTIONAL)

Heat the water, butter and salt. Once it starts to boil, quickly add the flour and stir rapidly until a ball of dough forms. Add the eggs, one at a time. The dough must be shiny. Spoon, the dough balls on a baking sheet and bake at 220 °C for 10 minutes. Thereafter, reduce the heat to 200 °C for another 10 to 15 minutes. Do not open the oven door during the baking. After baking, allow them to cool in the oven for a while.

For the filling, just mix all the ingredients together. You can squirt the cream into the pocket. Or you can cut off a "cover", fill with the cottage cheese and replace the cover. Katrin adds, "you can also add dark flour and rose sugar. I want everything to be "eco"." Why not! The heavily-laden pocket is truly a bomb of pleasure and energy.

☞ The cream can also be made of mascarpone or some other cream cheese.

☞ You can also sweeten them with maple syrup or honey and a drop of Vana Tallinn.

☞ You can also make a salty cream, for example, from ricotta and sprats, or cream cheese and chives.

* *Katrin Sangla is a makeup artist.*

Beatrice'i marjakook

Varem tegi Beatrice'i ja Priidu kodurestoranis naNo* magusat peretütar Simona. Siis ma seda õrnõhukest ja vähe magusat, ent hõrku kooki nende juures proovisingi. Kui retsepti küsisin, seletas Beatrice, et tervisefriigist Simona armastab tegelikult igasugu moodsaid ja eksootilisi kooke teha ning ta ei kasuta kunagi valget jahu ega rafineeritud suhkrut. Selle koogi retsept pärineb Beatrice'i venelannast vanaemalt ja ajast, mil polnud veel aimugi moodsa aja ohtudest. Aga natuke võib ju kõike ja see on tõesti mõnus!

. . .

PÄRMITAINAS

(MILLEST JAGUB
3 PLAADIKOOGIKS
VÕI 60 VÄIKSEKS PIRUKAKS)

500 G NISUJAHU
100 G SUHKRUT
100 G HEAD TALUVÕID
PEENT MERESOOLA
200 G PIIMA
50 G PÄRMI
1 MUNA
MARJU JA TUHKSUHKRUT KATTEKS

Soojenda piim 30 °C-ni, lahusta selles pärm ning lisa ülejäänud komponendid, välja arvatud jahu. Sega korralikult ühtlaseks massiks, siis lisa jahu ning sõtku tainas (вымесить!).

Pane rätikuga kaetult umbes 1,5 tunniks sooja kohta.

Sõtku kerkinud tainas alla, jaga kolmeks osaks (kolme koogi jaoks), rulli õhukeseks ja kata pealt marjadega, nt pohladega. Küpseta 175 °C juures, kuni ääred on kuldpruunid. Jahtunud kook raputa üle tuhksuhkruga ja serveeri näiteks koos taimeteega.

☛ Beatrice ütleb, et tegelikult tegi vanaema poole paksema koogi, talle meeldis nii rohkem. Ja peale sobivat panna mustikaid, vaarikaid, murakaid, pohli. Miks mitte ka rabarberit ja maasikaid. Just seda, mida aias või metsas parajasti leidub.

---

* *naNo asub Tallinna vanalinnas Sulevimäel.*

Beatrice's berry cake

Earlier, Beatrice and Priit's daughter Simona made the desserts at their home-style restaurant naNo*. It was at this time that I tried this super-thin and slightly sweet, but delicious cake at their restaurant. When I asked for the recipe, Beatrice explained that Simona, who was a health nut, actually loved to make all kinds of modern and exotic cakes, and never used white flour or refined sugar. This cake recipe was inherited from Beatrice's Russian grandmother, from a time when people were unaware of the hazards of modern living. But every once in awhile, we can indulge ourselves, and this is truly enjoyable!

. . .

YEAST DOUGH

(WHICH IS ENOUGH FOR 3 SHEET CAKES OR 60 SMALL CAKES)

500 G	WHEAT FLOUR
100 G	SUGAR
100 G	GOOD FARMER'S BUTTER
FINE SEA SALT	
200 G	MILK
50 G	YEAST
1	EGG

BERRIES AND POWDERED SUGAR FOR THE TOPPING

Heat the milk to 30 °C. Dissolve the yeast in the milk and add the remaining ingredients, except the flour. Mix thoroughly into a uniform mass, then add the flour and knead into dough (вымесить!).

Cover with a towel and set aside in a warm place for about 90 minutes.

Knead the dough down and divide into 3 pieces (for three cakes). Roll out in a thin sheet and cover with berries, for examples lingonberries. Bake at 175 °C until the edges are golden brown. Sprinkle the cooled cake with powdered sugar and serve with herb tea.

☛ Beatrice says that her grandmother actually made a cake that was twice as thick, but she likes it better thinner. And you can use bilberries, raspberries, cloudberries or lingonberries. Or why not rhubarb or strawberries – whatever is available from the garden or the forest.

* *naNo is located in Tallinn Old Town on Sulevimägi Street.*

Küpsetatud koogelmoogel koorega elik kreembrülee *à la* Janek Mäggi*

Brüleekreem on üks ütlemata hää maius. Igal pool on see menüüs – järelikult ei peaks väga keeruline teha olema… Enne kui Janek mulle õpetuse kinkis, oli meie majas seda ainult perepoeg Luukas valmistada proovinud. Maitselt oli hea, aga välimuselt mitte just kaunimate killast. Ent magus peab võrdselt võrgutama nii maitse- kui ka nägemismeelt. Niisiis, kui isand Mäggi teatas, et pole midagi lihtsamat kui teha kodus oma unikaalne brüleekreem, siis ei jäänud minulgi muud üle kui tegu teoks teha. Tõsi, maitse headuse ja vaeva suhe on ideaalselt paigas.

…

Kaheksale

VAJA LÄHEB GAASIPÕLETIT JA 8 BRÜLEEKREEMI KAUSSI

- 6 MUNAKOLLAST
- 100 G HELEDAT ROOSUHKRUT
- 1 VANILLIKAUN
- 800 G 35%-LIST VAHUKOORT
- SUHKRUT PINNA KARAMELLISEERIMISEKS

Pane koor koos vanillikaunaga tulele, kuumuta 60 °C-ni (kui pole kraadiklaasi, katsu näpuga). Lase 10 minutit maitsestuda. Lõika kaun pikuti pooleks, kraabi noa seljaga seemned välja ja pudista koore sisse. Sega munakollased suhkruga, ära vahtu aja, vaid nii, et suhkur mõõdukalt ära sulab. Kalla juurde veidi koort – pidevalt segades, et segu ei läheks tükki, ja siis järk-järgult kogu koor. Sega rahulikult käsivispliga.

Nüüd on õige aeg ahi 165 °C peale lülitada ja kausikesed sügavasse ahjupanni reastada. Pane kreem kaussidesse – jagub täpselt kaheksasse. Mullid võta gaasipõletiga ära. Seejärel kalla keev vesi kausside ümber ahjupannile, umbes sinnamaani, kuhu ulatub kreem. Pane pann kausside ja veega 165 °C ahju 35 minutiks. Õige kreem on sültjas, väriseb natuke hardalt. Jahuta toatemperatuuril maha, kata toidukilega ja pane vähemalt 4 tunniks – võimaluse korral terveks ööks – külmikusse.

Vahetult enne serveerimist raputa kreem suhkruga üle. See osa suhkrust, mis pinnale kinni ei jää, raputa järgmisse kaussi – suhkrukiht peab olema õrnõhuke! Karamelliseeri gaasipõletiga pitsiliseks. Esimene kord võib see keeruline tunduda, aga tegelikult on sama tore tegevus kui puidule põletiga mustrite maalimine!

Naudi ja jaga oma rõõmu teistega. Imemaitsev!

---

* *Janek Mäggi on tunnustatud kolumnist ja suhtekorraldaja.*

Kreembrülee

☞ Gaasipõleteid müüakse kaubamajade köögiosakondades. Aga neid saab ka ehituspoodidest. Ole viimastega ettevaatlik, need on võimsad ja võivad suhkru kergesti ära kõrvetada!

☞ Jälgi, et kreem ei hakkaks ahjus mulisema, siis on kuumus liiga suur.

☞ Munavalgeid võib säilitada sügavkülmas, aga neist saab imehead Pavlova koogid, vt lk 140.

☞ Vanillikaunad on ökopoodides soodsama hinnaga kui suurkaubamajades. Kauna asemel võid kasutada ka naturaalset vanillipuru, seda saab samuti ökopoest. Keemiline vanilliin siia ei sobi.

Crème brûlée *a la* Janek Mäggi*

Crème brûlée is an unspeakably good dessert. It's on menus everywhere, consequently it should not be very complicated to make… Before Janek gave me these instructions, our family son, Luukas, was the only one who had tried to make it. The taste was good, but the appearance left something to be desired. However, the taste and appearance of desserts should be equally tempting. Thus, when master Mäggi announced that there is nothing simpler to make at home than his unique crème brûlée, I had to try it. It's true, the relationship between the goodness of the taste and the degree of difficulty are ideally balanced.

* *Janek Mäggi is a recognised columnist and public relations specialist.*

Serves 8

YOU'LL NEED A GAS TORCH AND 8 CRÈME BRÛLÉE CUPS

6	EGG YOLKS
100 G	WHITE ROSE SUGAR
1	VANILLA BEAN
800 G	35% WHIPPING CREAM

SUGAR FOR CARAMELISING THE SURFACE

Put the cream and vanilla on the heat and heat to 60 °C (if you don't have a thermometer, test it with your finger). Let it set for 10 minutes. Cut the bean lengthwise, scrap out the seeds with the end of knife and sprinkle into the cream. Stir the sugar into the egg yolks. Do not whip, just let the sugar melt slowly. Pour in some cream. Stir constantly to prevent lumps from developing and slowly add all the cream. Stir steadily with a hand whisk.

Preheat the oven to 165 °C and line up the cups in a deep roasting pan. Put the cream into the cups – there's just enough for 8. Remove any bubbles with the gas torch. Thereafter pour some boiling water into the roasting pan so it reaches the same level as the cream. Put the pan with the cups and water into the oven and bake for 35 minutes at 165 °C. A proper cream will be jelly-like, and quiver somewhat. Cool to room temperature and put in the refrigerator for at least 4 hours (overnight if you can).

Immediately before serving, sprinkle the cream with sugar. Shake any excess sugar that does not adhere to the surface onto the cup of cream – the layer of sugar must be very thin! Caramelise with a gas torch until it's lacy. This can seem difficult the first time you try, but its actually just as much fun as burning a pattern onto a piece of wood!

Enjoy and share your joy with others. Super delicious!

☛ Gas torches are sold in the kitchen equipment departments of department stores. And they are also available in building supply stores. But be careful with the latter, they are powerful and can easily scorch the sugar!

☛ Make sure that the cream does not start to bubble in the oven; this means the heat is too high.

☛ Egg whites can be stored in the freezer, or they can be used to make Pavlova cakes, see pg. 141.

☛ Vanilla beans are available in organic foods shops at a better price than in large shopping centres. Instead of the vanilla bean, you can also use vanilla crumbs which are also available in organic food stores. Chemical vanillin is not suitable.

Mulgi ime

Kui ma 2003. aasta varakevadel oma mõnekuise imikuga teise Eesti otsa Mulgimaa metsatallu kolisin, ei jõudnud veel mõeldagi, mismoodi mind, pealinnast tulnud tüdrukut, kohalikud vastu võtavad, kui sain kuulda, et üks võhivõõras kohalik naine soovib Ärmale* külla tulla. Kui ta üle läve astus, tundus ta kuidagi tuttavana. „Kui ma kuulsin, et meie maile pealinnast noori on kolinud, tuleb nad ju kohe Mulgi asja ajamisse rakendada," teatas Pille** rõõmsalt ilma sissejuhatuseta. Ja tegi paari tunniga ringi peale nii iseenda kui ka Mulgimaa eluolule. Tema lahkudes mõtlesin, et kui Pille saab Läti piiri ääres Lilli külas oma nelja lapse kõrvalt ka erakooli loomisega hakkama, mis siis mina veel kõhklen. Ja nii hakkaski unistus metsa rajatud raamatukogutalust üha maisemaid piire võtma.

Järgnenud aastate jooksul oleme mõlemad Pillega mitu kannapööret sooritanud, teinud nii erinevaid asju, mis esmapilgul ei paista üldse ühe inimese sisse mahtuvat. Ent üks on ikka jäänud – armastus kokakunsti vastu. Kingiks antud retsepti iseloomustab Pille niimoodi: „Mulgi ime on ime just seetõttu, et tulemus on iga kord erinev. Seega – olgem loova meelega! Lisa vähem suhkrut või kasuta teisi jahusid (spelta, odra-, kaera-, kinoa- vms jahu), pane vahele erinevaid moose, puuvilju või marju, kaunista mitmesuguste taimede või purudega, laula mantraid, mõtle hea sõna ja lahke meelega sööjate peale. Ühesõnaga: tee toitu nii nagu tavaliselt – rõõmsa südame ja tänutundega!"

. . .

Kaheksale

TAINAS

- 60 G VÕID
- 0,5 KL HELEDAT SUHKRUT
- 1 SPL KONJAKIT VÕI VIINA
- 2 SPL METT
- 3 MUNA, VAHUSTADA 0,5 KLAASI SUHKRUGA (KUI LIHTSALT SEGADA, POLE KA HULLU)
- 2 TL SOODAT + PAAR TILKA SIDRUNIMAHLA
- 2,5 KL JAHU

KREEM

- 800 G HAPUKOORT
- 1,5 KL SUHKRUT, VAHUSTADA VÕI LIHTSALT SEGADA HAPUKOOREGA
- SOOVI KORRAL EHTSAT VANILLI VÕI MÕNI TILK VANA TALLINNAT VÕI COINTREAU'D

Sulata veevannis või aurus segamiskausis või, sega juurde suhkur, mesi, viin. Võta tulelt ära. Järk-järgult sega juurde munad, aga kook saab hõrgum, kui munad enne koos suhkruga vahtu lööd. Seejärel sõelu sisse soodaga segatud jahu.

Määri küpsetuspaberile käega hästi õhuke kiht tainast, küpseta 180 °C juures kuldseks. Ole kannatlik – kihte saab palju.

Nüüd tuleb kook vastavalt fantaasiale kihilisena kokku panna, ikka kreemi vahele ja kui on, siis marju või moosi või hakitud puuvilju ka. Peale puista küpsetuskihtide puru ja šokolaadipuru. Begooniate mahlakad õied aga muudavad selle lihtsa talukoogi välimuse lausa kuninglikuks.

---

* *Ärma on meie perekonna talu, kus Toomas Hendrik Ilvese esivanemad on elanud kirjade järgi 1763. aastast, aga tõenäoliselt juba ammu enne seda.*

** *Pille Põllumäe on aktiivne tervise, maaelu ja harmoonilise keskkonna eestkõneleja ning Eesti Maaülikooli Polli Aiandusuuringute keskuse mahetoodete projektijuht.*

Mulgi ime

- ☞ Mustikad ja vaarikad sobivad selle koogi vahele nõiduslikult hästi, metsmaasikatest ei hakka üldse kõnelemagi.
- ☞ Kasuta kreemis suhkru asemel vahtra- või agaavisiirupit, saab teistmoodi ja tervislikum.

Mulgi Miracle

When in the early spring of 2003, I moved with my few-month-old infant to a forest farm in Mulgimaa (the historical name of a region in southern Estonia) at the other end of Estonia, I had not even started thinking about how I, a girl from the capital, would be accepted by the locals, when I heard that a local woman whom I did not know wanted to come and visit Ärma*. When she stepped over the threshold, she seemed familiar somehow. "I heard that some young people from the capital had moved to our area, I thought we needed to

* *Ärma is our family's farm, where Toomas Hendrik Ilves's forebears have lived since 1763 according to the archives, but probably long before that.*

immediately bring you up to date on Mulgi affairs," Pille* announced happily without any introduction. And after a few hours, she had given me an overview of herself and life in Mulgimaa. As she left, I thought: if besides raising four children Pille can manage to establish a private school in Lilli village on the Latvian border, what am I worried about? And the dream of establishing a library farm started to take on increasingly realistic dimensions.

During subsequent years, Pille and I have made several about-faces. We both dealt with so many things that it's hard to believe that one person could have manage it all. However, one thing has always remained – a love of cooking. Pille characterises this recipe, which I received as a gift from her, as follows: "The Mulgi miracle is a miracle because the result is always different. Therefore – have a creative spirit! Add less sugar or use other flours (spelta, barley, oats, quinoa, etc.). Add various jams, fruits or berries, garnish with various plants or crumbs. Sing mantras, have good and gracious thoughts about the eaters. In other words, prepare the food as usual – with a joyful heart and feeling of thanks!"

. . .

DOUGH

60 G	BUTTER
½ CUP	WHITE SUGAR
1 TBSP	COGNAC OR VODKA
2 TBSP	HONEY
3	EGGS, WHIP WITH ½ CUP SUGAR (IT'S ALRIGHT IF YOU JUST MIX THEM)
2 TSP	BAKING SODA + A FEW DROPS OF LEMON JUICE
2½	CUPS FLOUR

CREAM

800 G	SOUR CREAM
1½ CUPS	SUGAR, WHIP OR JUST MIX WITH THE SOUR CREAM

IF YOU WISH, ADD SOME GENUINE VANILLA OR A FEW DROPS OF VANA TALLINN OR COINTREAU.

Melt the butter in a double boiler or in mixing bowl placed on steam. Add the sugar, honey, liquor. Remove from the heat. Slowly mix in the eggs, but the cake will be lighter if you first whip the eggs and sugar. Thereafter sift in the flour mixed with baking soda.

By hand, spread a thin coating of dough onto baking paper and bake at 180 °C until golden. Be patient, there are many layers.

Then layer the cake using your imagination – with cream between the layers and adding berries, jam or chopped fruits – whatever's available. Sprinkle on the baking crumbs and chocolate. However, succulent begonia blossoms make this simple peasant dish into something quite regal.

☛ Bilberries and raspberries are a magical addition to the cake; and let's not forget wild strawberries.

☛ Instead of sugar in the cream use maple or agave syrup; it will be different and healthier.

* *Pille Põllumäe is an active promoter of health, rural life and harmonious environments. She is also the project manager for organic products at the Polli Horticultural Research Centre of the Estonian University of Life Sciences.*

Ärmalt armastusega

Ärmal on hiiglama palju ruumi – kui üksnes meie peret arvestada, siis elab seal keskmiselt 3 inimest ühel ruutkilomeetril. See-eest on aga palju metsloomi: viiekümnepealine metsseakari, neljaliikmeline põdraperekond, kümmekond kitse, meetrikõrgune ilveseisand ja kõige värskematel andmetel ka karu. Tõenäoliselt koos poegadega. Toonekurgi on kolm (üks neist poissmees), pääsukesi on suve alguses paarkümmend ja lõpus paljukümmend, üks suur roheline rähn, kaks rukkirääku, paar prisket rebast ja kümneid jäneseid. Kõige kaunistuseks ka kaks tiigitäit imekauneid rohelisi konni.

See tee, mis meie tallu tuleb, lõpebki siin lõplikult ära. Kui seista keset õue ja kõikjal su ümber on mets, siis tundub, et kõik teed toovad siia ja just siit nad ka maailmale kiirguvad. Ei ole olemas ääremaid, seal, kus on sinu kodu, on maailma naba, kõige olulisem paik. Mulle meeldib see tunne, mis tekib palja varba all: justkui vajuksid juured maasse ja ammutaksid värsket energiat. Ärma on üks isemoodi talu. Siin toodetakse häid mõtteid. Vahel saavad nad ka lausa käega, et mitte öelda keelega katsutava kuju. Ärmal sündinud retseptidest võiks mitu raamatut teha ja küll nad sünnivad ka, kui nende aeg käes. Selle raamatu sabas on kingina kaasas mõned kõige kodusemad, lihtsamad ja armsamad retseptid. Ärma maitsebuketis on maa, metsmaasikad ja musi. *Hääd isu!*

From Ärma with love

There is lots of room at Ärma Farm – if we only take our family into consideration, there is an average of three people per square kilometre. But there are lots of wild animals – a herd of 50 wild boars, a four-member elk family, about a dozen deer, a metre-tall male lynx, and based on the latest news, a bear – probably with cubs. There are three storks (one of them a bachelor). At the beginning of the summer there are a few dozen swallows; by the end of the summer many dozen. There is one large green woodpecker, two corncrakes, a few plump foxes and tens of hares. The nicest is two ponds filled with beautiful green frogs.

The road that leads to our farm ends here. If you stand in the middle of the yard, surrounded by forest, it seems that all roads lead here and lead out to the world from here. There are no hinterlands. The place where you have your home is the centre of the world, the most important place in the world. I like that feeling you get when walking barefoot – as if your roots were burrowing into the ground and drawing new energy. Ärma is a different kind of farm – it produces good thoughts. Sometimes they take on a form that is tangible and sometimes you can taste them. The recipes that have been produced in Ärma could fill several books and they will surely be written when the time is right. This book ends with a gift of some of the most homey, simplest and beloved recipes. The Ärma taste bouquet is comprised of earth, wild strawberries and kisses. *Enjoy your meal!*

Ärma leib

Leib on isiksus. See tähendab, et temaga tuleb iseäranis tundlikult ümber käia. Juba iidsetel aegadel teati, et leivategemise juures ei või halbu mõtteid mõlgutada, sest siis läheb tegu untsu. Ning leib tahab sooja ja pelgab tõmbetuult. Kui ma viimati kolm nädalat Ärmale polnud saanud, olin natuke murelik, et kuidas juuretise tervis on – pikk üksindus ikkagi. Aga leib oli nii rõõmus, et hüppas öösel lausa astjast välja. Ja minul oli väga hea meel.

Järgnev on baasretsept, mida tuleb erinevate jahusegude, kliide, seemnete, pähklite, rosinate, kuivatatud puuviljade, ürtide, sibula, küüslaugu, peekoni või soolasilgu abil suu- ja tujupäraseks timmida. Kuna meie pere lisandeid eriti ei armasta, peidan ma need ära: näiteks kasutan tillukesi seemneid – lina-, mooni- või kanepiseemneid. Viimased muide jäävad mõnusasti krõpsuma. Ka pähklid võib ära jahvatada, siis saab leib tervislikum ja tema maitse mõnusam. Kui aga tahan ilusat värvilist piduleiba, panen rohelisi pistaatsiapähkleid, kuldseid rosinaid, siniseid kuivatatud mustikaid ja punaseid kuivatatud pohli. Oma pere leib on alati kõige armsama maitsega!

3-4 leiba

1,5 L	KÄESOOJA VETT
4–5 SPL	JUURETIST (VÕIB ROHKEM OLLA)
150–250 G	PRUUNI ROOSUHKRUT
8 TL	MERESOOLA
5 SPL	LINASEEMNEID (VÕIB PEENESTADA)
3 TL	JAHVATATUD KORIANDRIT
PAAR PEOTÄIT	KAERAKLIISID VÕI RUKKIHELBEID (SOOVI KORRAL)
1,8–2 KG	TÄISTERA RUKKIJAHU (VÕI LEIVAJAHU)

Sega suures kausis või astjas juuretis sooja veega ning lisa täistera rukkijahu nii palju (*ca* 2–3 klaasi), et tekib paks kört. Kata leivaanum kilega või kaanega ning pane sooja kohta hapnema. Temperatuur peaks ideaaljuhul püsima 24 ja 28 °C vahel. Võid kausi lisaks veel froteerätikuga katta. Ruumis ei tohi olla tuuletõmbust – näiteks saunas või vannitoas on head tingimused.

Järgmisel päeval, vähemalt 16 tundi hiljem, sega valmis leivatainas – alusta soolast, suhkrust ja linaseemnetest, seejärel pane hulka jahu. Kui soovid õhulisemat leiba, kasuta vähem jahu, et tainas oleks päris pehme, ja küpseta seda vormis. Sõtkuda pole vaja, sega korralikult läbi – see on füüsiliselt päris raske töö – ning tõsta suure puulusikaga vormi. Sõtkumise sõbrad võivad teha paksu taina ning sellest pätsid vormida, kuid siis saab leib tihkem ja raskem.

Nüüd tuleb võtta 4–6 spl tainast ja panna järgmise korra juuretiseks kilekotti ning külmkappi. Kui sul on astja, jätad lihtsalt tainatüki astja põhja ja katad igast küljest jahuga. Astja ootab järgmist leivategu jahedas.

Sama oluline kui hapnemine on ka leiva kerkimine. Jaga tainas võiga määritud leivavormidesse, silu pealt käega, mis on külma vette kastetud, ning torka näpuga augukesed sisse või tee käeseljaga oma peremärk, et saaksid jälgida kerkimist. Pane vormid 2–4 tunniks paksu rätiku alla sooja ruumi kerkima. Kui taina hulk on kahekordistunud, võib küpsetama asuda.

Soojenda ahi 250 °C-ni, pane põhja ahjuplaat veega (või kasuta 1–2 punkti auru), küpseta selles kuumuses leibu umbes 15 minutit (jälgi kooriku värvi!). Kõrge kuumus teeb krõbeda kooriku. Siis vähenda kuumust 200 °C-ni (kui sul on võimas profiahi, siis 175 °C-ni) ja küpseta veel umbes 50 minutit. 10–15 minutit enne lõppu võid ülemise ja alumise riiuli leivad ära vahetada, et kõik nii pealt kui ka alt kuumust saaksid.

Kui leivad ahjust välja võtad ja selgub, et põhjad on natuke nätsked ja heledad, võid nad ilma vormideta 15 minutiks ahju tagasi pista. Valmis leibadel võid soovi korral kooriku värske taluvõiga üle pintseldada. Soovitan lasta leival vähemalt tund aega jahtuda, enne kui lõikama asud. Soe leib on nätske! Muidugi on raske sooja leiva lõhna lummuses oodata, aga see tasub ära. ☛

☛ Hapnemisprotsess ja leiva maitse sõltuvad jahu kvaliteedist. Parim jahu on otse talunikult ostetud kivijahvatusega täistera rukkijahu. Saadaval ka turgudel ja poodides.

☛ Ära kasuta rafineeritud valget jahu ega suhkrut – leib saab maitsvam ja tervislikum! Ka meresoola maitse on mahedam ja ilma tavasoolale omase kibeda kõrvalmaiguta.

☛ Juuretist saad ka ise teha: võta 3–4 viilu poe-rukkileiba ning 0,5 l petti või hapupiima ning lase soojas ruumis umbes 24 tundi hapneda. Siiski võid arvestada, et kuni kolm esimest leivategu võivad aia taha minna, kuid juuretis muutub iga korraga võimsamaks tänu paljunevatele bakteritele. Kui oled neljanda korrani välja kannatanud, võid edaspidi mureta olla. Parem on siiski alustada sõbralt saadud valmis juuretisega.

☛ Juuretis säilib külmikus elusana umbes 2–3 nädalat. Kui leivateos jääb pikem vahe, pane juuretis sügavkülma. Kuid selline karm kohtlemine nõrgestab teda.

☛ Leiba ei pea tundide viisi sõtkuma, nagu vanad raamatud õpetavad. Piisab, kui kõik on hästi korralikult segatud.

☛ Leiba saab küpsetada ka tavalises elektriahjus. Pane põhja veevann ja ära ava küpsemise ajal ust.

☛ Hoidu pärmist, kuigi see kiirendab kõiki protsesse. Kui lisad pärmi, siis pole leival õige maitse, ta ei säili ning läheb kergesti hallitama. Puhtalt juuretisega kergitatud leib säilib värskena tavalisel toatemperatuuril vähemalt kaks nädalat või kauemgi.

☛ Mõistlik eestlane ei pakkunud vanasti perele kunagi sooja leiba, sest muidu võis juhtuda, et nädala varu söödi päevaga ära. Ka olevat paar päeva tahenenud leib tervislikum. Kuid paremat toidupoolist kui soe leivakäär võiga pole siiski veel välja mõeldud. Ja leivategemiseks kulunud 24 tundi on hästi kasutatud aeg. Head isu!

Ärma bread

Bread has a personality. This means that one must treat it very sensitively. Already in ancient times people knew that if you think bad thoughts while making bread, the bread won't turn out right. Bread also prefers warmth and does not tolerate drafts. When I was away from Ärma for three weeks recently, I was somewhat worried about the health of my leaven – after all it had been alone for a long time. But the bread was so happy that it jumped right out of the wooden bowl during the night. I was very happy.

The following is a basic recipe that can be tuned to suit your taste buds and moods with the help of various flour mixtures, bran, seeds, nuts, raisins, dried fruits, herbs, onion, garlic, bacon or salted Baltic herring. Since our family does not love extra ingredients, I hide them and use tiny seeds – linseed, poppy or hemp seeds. The latter, by the way, are nice and crunchy. The nuts can also be ground, to make the bread healthier and the taste better. If you want lovely coloured bread for a celebration, add green pistachio nuts, golden raisins, dried blue bilberries or red lingonberries. One's own family bread always has the most beloved taste! ☛

Ärma bread

3 to 4 loaves

- 1½ LITRES LUKEWARM WATER
- 4–5 TBSP LEAVEN (CAN BE MORE)
- 150–250 G BROWN ROSE SUGAR
- 8 TSP SEA SALT
- 5 TBSP LINSEEDS (CAN BE GROUND)
- 3 TSP GROUND CORIANDER
- A FEW HANDFULS OF OATMEAL BRAN OR RYE FLAKES (OPTIONAL)
- 1.8–2 KG WHOLE-GRAIN RYE FLOUR (OR BREAD FLOUR)

In a large ceramic or wooden bowl, mix the leaven with warm water and add enough rye flour (about 2 to 3 cups) to form a thick gruel. Cover the container with plastic wrap or cover and set aside in a warm place to ferment. Ideally, the temperature should be between 24 and 28 °C. You can also cover the bowl with a terrycloth towel. The room should be draught-free – for instance, a sauna or bathroom.

The next day, at least 16 hours later, finish the bread dough. Start with the salt, sugar and linseeds, thereafter add the flour. If you want airier bread, use less flour. The dough will be quite soft and you will need to bake in a loaf pan. You don't need to knead it, just mix thoroughly – this is pretty hard physical work – and lift it into the loaf pan using a large wooden spoon. Those who like to knead can make thick dough and form the loaves by hand. However, the bread will then be denser and heavier.

Now you need to take 4 to 6 tbsp of dough, put it in a plastic bag, then into the refrigerator, so you have leaven for the next time. If you have a wooden bread bowl, just leave a piece of dough in the bottom and completely cover with flour. The wooden bread bowl should be place in a cool place to wait for next time you bake bread.

The rising of the bread is just as important as the fermentation. Divide the dough into loaf pans that have been greased with butter. Smooth the tops with your hands that have been dipped in cold water, and push small holes in the dough with your fingers or make your family mark in the bread with the side of hand, so you can monitor the rising. Cover the loaf pans with a thick towel and place in a warm room to rise. Once the dough has doubled in volume, you can start baking.

Preheat the oven to 250 °C. Put a baking sheet with water in the bottom (or use a combi-oven and turn the steam to 1–2). Bake the bread for about 15 minutes (watch the colour of the crust!). A high temperature will result in a crispy crust. Then turn the oven down to 200 °C (if you have powerful professional oven, to 175 °C) and bake for approximately another 50 minutes. Ten to 15 minutes before they should be finished, you can switch the breads on the top and bottom shelves, so they bake evenly on the top and the bottom.

If, when you take the bread out of the oven, it turns out that the bottoms are a bit doughy and light in colour, simply put them back in the oven without the pans for 15 minutes. If you wish, you can brush the crust of the freshly baked bread with fresh farmer's butter. I recommend that you let the bread cool for at least an hour before cutting. Warm bread is doughy! Of course, it is difficult to resist the fragrance of warm, freshly baked bread, but it's worth it.

☞ The fermentation process and taste of the bread is dependent on the quality of the flour. The best flour is stone-ground, whole-grain rye flour bought directly from the farmer. It's available in marketplaces and stores.

☞ Do not use refined white flour or sugar – the bread with be tastier and healthier! The taste of sea salt is also milder and does not have the bitter aftertaste typical of ordinary salt.

☞ You can make the leaven yourself. Put 3 to 4 slices of store-bought rye bread into ½ litre buttermilk or sour milk, and let it ferment in a warm room for about 24 hours. However, you can count on your bread not coming out quite right until about the fourth try, because the leaven becomes more powerful each time, thanks to the multiplying bacteria. If you have had the patience to try four times, you won't have any problems thereafter. However, it's easier to start with a leaven that you have gotten from a friend.

☞ Leaven can be kept alive in the refrigerator for about 2 to 3 weeks. If there is a longer gap in your bread making, put your leaven in the freezer. However, such harsh treatment will weaken it.

☞ You do not have to knead the bread dough for hours like older cookbooks say. It's enough to thoroughly mix all the ingredients.

☞ Bread can also be baked in an ordinary electric oven. Put a bain-marie on the bottom and do not open the door while the bread is baking.

☞ Avoid yeast, although this accelerates the whole process. If you add yeast, the bread will not have the right taste; it will not keep and will quickly become mouldy. Bread that is leavened only with leaven will keep for at least two weeks at room temperature.

☞ In the olden days, sensible Estonians did not serve their families warm bread, because it could happen that the week's reserves would be eaten in just one day. Moreover, bread that had dried for a few days was supposed to be healthier. However, it is hard to imagine anything better than a warm piece of bread with butter. And the 24 hours it has taken to make the bread is well worth it. Bon apetit!

Päikesesupp

See on tore ja rõõmus supp, mis mõjub erilise vitamiinipommina just talvel. Siis, kui meil hakkab energiat nappima, on porgandid keldris veel värsked ja Hispaanias alanud apelsiniaeg. Koos moodustavad need kaks vilja aga niisuguse uue maitsebuketi, et ka see, kes keeduporgandit suu sissegi ei võta, limpsab keelt.

. . .

Kaheksale

- 1,5 KG PORGANDEID
- 10 SIBULAT
- 3 APELSINI
- 30 G TALUVÕID
- 1 L KANA- VÕI KÖÖGIVILJAPULJONGIT
- SOOLA
- VÄRSKELT JAHVATATUD MUSTA PIPART

Riivi porgandid jämeda riiviga, tükelda sibulad. Sulata või sügaval pannil, kuumuta madalal kuumusel sibul klaasjaks, lisa porgand, hauta *ca* 10 minutit. Lase puljong keema, tõsta segu sinna sisse ja hauta kaane all vaikselt pool tundi.

Riivi kolme apelsini koor õrnalt eraldi kaussi, pigista välja mahl ja lisa supile. Ära enam keeda, siis jäävad vitamiinid alles!

Serveerimisel kaunista riivitud apelsinikoorega, võimaluse korral lisa mõni roheline leheke, puista peale mõni terake värskelt jahvatatud pipart. Naudi!

☛ Kasuta orgaanilist puljongipulbrit või -kuubikuid, kuid veelgi parem on omatehtud puljong. Kõige lihtsam variant: võta 1,5 l vett, 1 kartul, 1 porgand, 1 koorega sibul, maitsetaimi, pipart, loorberit, meresoola. Keeda umbes 1 tund. Ongi valmis. Sobib igasse retsepti puljongina.

Sunny soup

This is a fine happy soup that provides an extraordinary burst of energy, especially in the winter – at a time, when our energy is in short supply, the carrots in the root cellar are still fresh and the orange season has started in Spain. Together, carrots and oranges create such a new taste bouquet that even those who ordinarily refuse to eat boiled carrots will be licking their lips.

...

Serves 8

1½ KG	CARROTS
10	ONIONS
3	ORANGES
30 G	FARMER'S BUTTER
1 LITRE	CHICKEN OR VEGETABLE BOUILLON

SALT

FRESHLY GROUND BLACK PEPPER

Grate the carrots with a coarse grater and chop the onions. Melt the butter in a deep pan. Over low heat, cook the onions until glazed. Add the carrot and simmer for about 10 minutes. Bring the bouillon to a boil, and add the carrot and onion mixture. Cover and simmer gently for half an hour.

Grate the zest of 3 oranges into a separate bowl. Squeeze out the juice and add to the soup. Do not cook further to preserve the vitamins!

To serve, garnish with orange zest. If available, also add a few green leaves, and sprinkle with a few grains of freshly ground pepper. Enjoy!

☞ Use organic bouillon powder or cubes. Even better, make your own. The easiest option is to combine 1½ litres water, 1 potato, carrot, unpeeled onion, herbs, pepper, bay leaf, sea salt. Cook for about 1 hour and it's ready. Can be used as bouillon in any recipe.

Kukeseenekaste värskete kartulite ja suvesalatiga

Aleksandra

KUKESEENEKASTE

4 PEOTÄIT KUKESEENI
2 PEENEKS HAKITUD SIBULAT
1 KÜÜSLAUGUKÜÜS, PRESSITUD
3 SPL TAIMEÕLI
1 SPL VÕID
300–400 G VAHUKOORT (35%)
100–200 G TOORJUUSTU VÕI *CRÈME FRAÎCHE*'I (VÕIB ÄRA JÄTTA)
1 SPL PEENEKS HAKITUD VÄRSKET MURULAUKU
1 TL PEENEKS HAKITUD VÄRSKET PUNET
MERESOOLA
VÄRSKELT JAHVATATUD MUSTA PIPART

VÄRSKED TILLIKARTULID

12 TERVET KOORIMATA KARTULIT
MERESOOLA
PEENEKS HAKITUD VÄRSKET TILLI

SUVESALAT

4 KESKMIST VÄRSKET TOMATIT
1 KESKMINE PUNANE SIBUL
1 PEA ROHELIST LEHTSALATIT
12 METSMAASIKAT VÕI
4 VIILUTATUD AEDMAASIKAT

KASTE

3 SPL KÜLMPRESSITUD OLIIVIÕLI
1 SPL VÄRSKELT PRESSITUD SIDRUNIMAHLA
1 SPL VÄRSKELT PRESSITUD APELSINIMAHLA
1 TL DIJONI SINEPIT
1 KÜÜSLAUGUKÜÜS
1 TL VÄRSKET VÕI KUIVATATUD PUNET
MAITSESTAMISEKS MERESOOLA JA VÄRSKELT JAHVATATUD MUSTA PIPART

Kui minu käest küsitaks, mis on kõige eestipärasem söök, siis ütleksin, et hilissuvel on selleks kindlasti kukeseenekaste värskete kartulitega. Seda maitset ei asenda ega tee millegagi järele, kukeseen on selline põhjamaine väänik, mida farmides kasvatada pole võimalik. Metsikult maitsev!

. . .

Sulata paksupõhjalisel pannil või, lisa õli ja kuumuta peeneks hakitud sibulat madalal tulel, kuni ta muutub klaasjaks. Lisa jämedalt hakitud kukeseened, tõsta veidi kuumust ning prae, kuni vedelik aurustub. Lisa vahukoor ja sool ning kuumuta keemiseni. Seejärel lisa toorjuust või *crème fraîche*. Keema tõusnud kastmesse pressi küüslauguküüs ja lisa hakitud maitseroheline koos pipraga. Tõsta tulelt. Serveeri värskete tillikartulite ja salatiga.

Keeda või – veel parem – auruta kartulid pehmeks, maitsesta soola ja värske tilliga ning serveeri kohe.

Lõika tomatid sektoriteks ja punane sibul peenteks rõngasteks ning rebi salat tükkideks. Tõsta ümara põhjaga kaussi. Vala peale kaste, sega, kaunista maasikatega ja serveeri kohe.

Sega omavahel vedelikud, pressitud küüslauk, sinep ja maitseained ning sega hästi salatišeikeris. Vala salatile vahetult enne serveerimist.

Kukeseenekaste

Chanterelle sauce

Chanterelle sauce with new potatoes and summer salad

If I am asked what the most typical Estonian dish is in the late summer, I would definitely say chanterelle sauce with new potatoes. This taste cannot be duplicated or replaced. Chanterelles have a Nordic stubbornness that makes it impossible to grow on farms. Wildly delicious!

. . .

Serves 4

CHANTERELLE SAUCE

4 HANDFULS OF FRESH CHANTERELLES
2 FINELY CHOPPED ONIONS
1 CLOVE OF GARLIC, PRESSED
3 TBSP VEGETABLE OIL
1 TBSP BUTTER
300–400 G WHIPPING CREAM (35%)
100–200 G CREAM CHEESE OR CRÈME FRAICHE (OPTIONAL)
1 TBSP FINELY CHOPPED CHIVES
1 TSP FINELY CHOPPED FRESH OREGANO
SEA SALT
FINELY CHOPPED FRESH DILL

SUMMER SALAD

4 MEDIUM FRESH TOMATOES
1 MEDIUM RED ONION
1 HEAD OF LETTUCE
12 WILD STRAWBERRIES OR 4 SLICED GARDEN STRAWBERRIES

DRESSING

3 TBSP COLD-PRESSED OLIVE OIL
1 TBSP FRESHLY SQUEEZED LEMON JUICE
1 TBSP FRESHLY SQUEEZED ORANGE JUICE
1 TSP DIJON MUSTARD
1 CLOVE OF GARLIC
1 TSP FRESH OR DRIED OREGANO
SEA SALT AND FRESHLY GROUND BLACK PEPPER FOR SEASONING

Melt the butter on a heavy bottom pan. Add the oil and cook the finely chopped onion on low heat until glazed. Add the coarsely chopped chanterelles, increase the heat a bit and fry until the liquid evaporates. Add the whipping cream and salt and bring to a boil. Then add the cream cheese or crème fraiche. Add the pressed cloves of garlic and chopped herbs into the boiling sauce. Remove from heat. Serve with salad and new potatoes with dill.

Boil, or even better, steam the potatoes until soft. Season with salt and fresh dill. Serve immediately.

Cut the tomatoes into sectors and the red onion into thin rings. Tear the salad into pieces. Toss in a bowl with a round bottom. Pour on the dressing and toss. Garnish with strawberries and serve immediately.

Mix the liquids, pressed garlic, mustard and seasoning. Mix thoroughly in a salad shaker. Pour the dressing onto the salad immediately before serving.

Ärma õunakook

See on meie pere absoluutne lemmik. Ka need, kes ilma peal laiali, tahavad koju jõudes esimesena just selle koogi maitset tunda. Igal hooajal võid teda eri moodi teha, vastavalt sellele, mis puuviljad või marjad valmivad. Rabarber sobib maasikaga, kirsid mooniseemnetega, ploomid banaanidega, aprikoosid kreeka pähklite ja rosinatega, mustikad vaarikatega jne, jne. Muide, kui haigus või paha tuju kimbutab, siis see kook teeb kõik alati paremaks!

. . .

Kaheksale

PÕHI

100 G SULATATUD VÕID
2 MUNA
½ KL SUHKRUT
1 KL JAHU
KARDEMONI
NÄPUGA MERESOOLA

TÄIDIS

1 KG ÕUNU, KOORITUD*, TÜKELDATUD
½ KL TUMEDAMAT ROOSUHKRUT
1–2 TL KANEELI
SOOVI KORRAL MANDLILAASTE

KATE

150 G SULATATUD TALUVÕID
3 MUNA
½ KL HELEDAT SUHKRUT
VANILLI VÕI TILK VANA TALLINNAT VÕI KONJAKIT

Põhjaks vahusta munad suhkruga, lisa sulavõi ja jahu (talvel võid panna piparkoogimaitseainet), kalla lahtikäivasse määritud koogivormi (läbimõõt umbes 23 cm).

Täidiseks sega õunad läbi suhkru-kaneeli seguga, kalla ühtlaselt põhjale. Küpseta 175 °C juures 25–30 minutit.

Sel ajal vahusta **katteks** eraldi munavalge ja -kollane, sega kollase sisse sulavõi (mitte liiga kuum!), nõrista see ettevaatlikult valgesse vahtu ja kõige lõpuks lisa mõni tilk alkoholi või natuke vanilli. Kalla segu koogile ja pista veel 5–7 minutiks ahju või kuni kook saab kuldpruuniks. Ära ehmu, vahepeal läheb ta uhkusest puhevile ja pärast vajub tagasi, see käib asja juurde.

Lase enne serveerimist vähemalt tund jahtuda ja taheneda. Kõrvale sobib jäätis või vanillikreem, kaunistuseks lilleõis. Aga ilma on ka lihtsalt imeline!

---

* *Kui õun on oma aiast pärit või muu puhas kohalik õun, siis ära seda koori ning pane ka seemned koogi sisse!*

Ärma apple cake

This is our family's absolute favourite. This is the first taste that the family members who are scattered throughout the world want when they return home. You can vary the recipe according to the seasons, based on which fruits and berries are available. Rhubarb is great with strawberries, cherries with poppy seeds, plums with bananas, apricots with walnuts and raisins, bilberries with raspberries, etc., etc. By the way, if you are besieged by illness or a bad mood, this cake will always make you feel better!

. . .

CRUST

100 G	MELTED BUTTER
2	EGGS
½ CUP	SUGAR
1 CUP	FLOUR

CARDAMOM

PINCH OF SEA SALT

FILLING

1 KG	APPLES, PEELED* AND CHOPPED
½ CUP	DARK ROSE SUGAR
1–2 TSP	CINNAMON

IF YOU WISH, ADD ALMOND SLIVERS.

TOPPING

150 G	MELTED FARMER'S BUTTER
3	EGGS
½ CUP	WHITE SUGAR

VANILLA OR DROP OF VANA TALLINN OR COGNAC

For the crust, whip the eggs with the sugar. Add the melted butter and flour (in the wintertime you can add gingerbread spices). Pour into a cake pan with removable sides (about 23 cm in diameter).

For the filling, mix the apples thoroughly with the sugar and cinnamon mixture. Spread evenly on the crust. Bake at 175 °C for 25–30 minutes.

While the cake is baking, separately whip the egg whites and yolks for the topping. Mix the melted butter (not too hot!) into the yolks. Carefully dribble into the white foam. Finally add a few drops of alcohol or vanilla. Pour the mixture onto the cake and put in the oven for 5 to 7 minutes. Or until the cake is golden brown. Don't be alarmed – it will first puff with pride and then collapse somewhat. This is OK.

Let it cool for at least an hour before serving with ice cream or vanilla cream. Decorate with flower blossoms. But it's also wonderful without!

* *If the apples are from your own garden or are other clean local apples, don't peel them and use the seeds as well!*

Inspireerivaid kokaraamatuid Ärma raamatukogust
Inspirational cookbooks from the Ärma library

Alford, Jeffrey & Duguid, Naomi, Hot Sour Salty Sweet: a Culinary Journey through Southeast Asia. New York: Artisan, Workman Publishing Inc, 2000.

Alford, Jeffrey & Duguid, Naomi, Mangoes & Curry Leaves: Culinary Travels through the Great Subcontinent. New York: Artisan, Workman Publishing Inc, 2005.

Arnold, Hugo, Avoca Café Cookbook. Kilmacanogue: Avoca Handweavers Ltd, 2000.

Arro, Anni, Sepamaa talu köök / *The Kitchen of Sepamaa Talu.* Tallinn: Ajakirjade Kirjastus, 2008.

Beranbaum, Rose Levy, The Bread Bible. New York: W. W. Norton and Company Inc, 2003.

Geary, George, The Cheesecake Bible. Toronto: Robert Rose Inc, 2008.

Hazan, Marcella, Essentials of Classic Italian Cooking. New York: Alfred A. Knoph, 1997.

Henderson, Fergus, Nose To Tail Eating. London: Bloomsbury Publishing Plc, 2004.

Herrmann Loomis, Susan, Italian Farmhouse Cooking. New York: Workman Publishing Company Inc, 2000.

Hopkinson, Simon, Roast Chicken and Other Stories. New York: Hyperion, 2006.

Jaffrey, Madhur, World of the East Vegetarian Cooking. New York: Alfred A. Knoph, 1998.

Kaarma, Nadežda, Nadja koogid. Tallinn: Menu, 2011.

Kroon, Kadri, Eesti memmede varjatud saladused / *The Best Kept Secrets of Estonian Grannies.* Tallinn: Ajakirjade Kirjastus, 2009.

Labrosse, Anne, Minu Prantsuse toidud Eestis. Tallinn: Ajakirjade Kirjastus, 2008.

Ladõnskaja, Viktoria, Peipsi veerel. Tallinn: Ajakirjade Kirjastus, 2011.

Namaste. Muhumaa ehedad maitsed / *Namaste. A True Taste of Muhu.* Tallinn: Ajakirjade Kirjastus, 2008.

Niiberg, Toivo, Maitsvad lilled. Tallinn: Maalehe Raamat, 2010.

Ortega, Simone and Inés, 1080 Recipes. London: Phaidon Press Ltd, 2007.

Rombauer, Irma S. and Marion, Joy of Cooking. New York: Penguin Putnam Inc, 1997.

Rozin, Elisabeth, Ethnic Cuisine. New York: Penguin Books, 1992.

Savi, Ida, Saiad, pirukad, koogid. Tallinn: Valgus, 1978.

Swanberg, Ása, Smaker frán Saltá Kvarn: maten brödet kakorna. Bromma: Ordalaget Bokförlag, 2009.

Thomas, Anna, The Vegetarian Epicure. New York: Vintage Books Edition, A Division of Random House NYC, 1972.

Wright, Clifford A., A Mediterranean Feast. New York: William Morrow and Company, Inc, 1999.

Retseptide loend

List of recipes

Isikunimede loend
List of names

Aineloend

List of ingredients